秋期限定栗きんとん事件 上

米澤穂信

船戸高校新聞部一年の瓜野君は，学内新聞でも学外の話題を積極的に取り上げるべきだと主張するが，堂島部長の反論の前にあえなく敗退を繰り返していた。そんなある日，同じ新聞部員の小さな提案でにわかに突破口が開けることに。意気込んで何の記事を書こうか模索する瓜野君は，木良市で頻発する小規模な放火事件にある共通項を見つける……みんなが驚くようなすばらしい記事を書いて，おれは彼女にいいところを見せたいんだ。彼女――小佐内ゆきに！　一年近くにも及ぶ放火魔追跡の過程を描く，シリーズ怒濤の第三弾，上巻。文庫書き下ろし。

秋期限定栗きんとん事件　上

米　澤　穂　信

創元推理文庫

THE SPECIAL KURI-KINTON CASE

by

Honobu Yonezawa

2009

目次

第一章　おもいがけない秋　九
第二章　あたたかな冬　三七
第三章　とまどう春　一三五

秋期限定栗きんとん事件　上

第一章　おもいがけない秋

1

約束の時間まで、図書室で本を読んでいた。

高校に入ってから、図書室にはめっきり行かなくなった。ぼくは読書家ではないけれど、図書室に入り浸っていれば、ひとさまからは読書家に見えるだろう。悪人の真似とて人を殺さば、悪人なり。偽りても賢を学ばんを、賢といふべし。ぼくは読書家の真似も悪人の真似も、賢の真似もしない。そうして否定を積み重ねた果てに見えてくる神々しい姿こそが、ぼくが一心に志す「小市民」なのだ。

壁の時計を見て、そろそろかなと席を立つ。手にしていた小説を棚に戻すとき、ブラインドの隙間から赤い光がこぼれていることに気がついた。夏休みが終わり日が短くなった。もう暮れていく。そして年に何度かこういうことがある。薄気味が悪く目が痛むほどに、夕焼けが赤くなることが。

赤い色は廊下に満ちて、細長い校舎のずっと向こうまでを照らしている。ぼくはその廊下を行く。ポケットの中で、一枚の紙片を気にしながら。

教室のぼくの机の中に、いつの間にか入っていた紙片。それは、放課後の教室に誘うものだった。差出人はわからない。目的も。というか、そもそもぼく宛なのかもはっきりしない。無視してもいいようなものだったけれど、せっかくのお誘いだ。おっかなびっくり顔を出してみるのも、また小市民的ではなかろうかと思ったのだ。

下校時間を間近にして、廊下に生徒の姿は少ない。二年生になって五ヶ月。九月に入り、気温はともかく気分の上では秋になった。

在校期間もここまで長くなれば、いい加減に知った顔も増えてきた。たとえば、さっきすれ違った男子もよく見る顔だ。たしか生徒会に入っていたか、それともどこかの部活で優秀な成績を収めたか。要するに顔は知っていても、誰なのかは憶えていない。もちろん、名前も知らない。彼の方は、ぼくのことを知らないだろう。だから何事もなくすれ違う。あたかも、お互いに存在していないかのように。

身につけようと長い間苦闘した儀礼的無関心も、なかなか板についてきた。学校でのぼくは、「そういえば、そんなのもいたなあ」と呟かれる、そんな存在になり得た自信がある。いても不自然ではなく、いなくてもまた、不自然ではない。

それなのに、そのぼくを呼び出すとはどういうことだろう。

ポケットから紙片を出す。

最初に見たときはノートの切れ端かと思ったが、どうやら違う。一辺にミシン目が入り、綺麗に切り取れるように工夫された、メモ帳の一ページだ。ぼくを呼び出した人物は少なくとも、メモ帳を持ち歩いているらしい。

書かれているメッセージは短い。

放課後五時半に　ひとりで教室に来てください　まってます

字は決して上手くはないけれど、癖字でもない。男の筆跡か女の筆跡か、どちらにも見える。色は青。水性ボールペンで書かれている。なよやかな感じがする字だけれど、印象だけで言うなら、繊細な男が書いたような気がする。

文面を読めば、いくつかわかることもある。

「教室に来い」と書かれているが、この船戸《ふなど》高校に教室は何十部屋もある。それなのに「どの教室」という指定がないのは、それがぼくの所属する二年A組教室を、当然に意味しているからだ。「放課後」とだけあって、何月何日の放課後とは書いていないのは、今日の放課後を当然に意味しているからだ。

仮に差出人が二年B組の生徒だとしたら、「B組教室ではなく」という意味を込めて、「A

組教室に来い」または「この教室に来い」と書きそうなものだ。また、今日のうちに紙片がぼくの手に入るか確認が難しいから、日付も書くだろう。

だからたぶん、ぼくを呼んだのは、クラスメートの一人ということになる。

赤い廊下の向こうから、男子が近づいてくる。今度は、お互いに知っている相手だった。一年生二年生と、連続でクラスメートになった。気さくな性格の彼は誰に対してもあけっぴろげで、クラスで参加するイベントの段になると、ぼくにも親しげに話しかけてきた。ぼくも彼の厚意に応えるべく、にこやかに受け答えしたものだった。そしていま、ぼくと彼は、やっぱり目も合わせずにすれ違う。ぼくは彼の名前を憶えていない。岩山だったか岩手だったか、たしか岩という字はついたと思うのだけど。

手の中の紙片に、再び目を落とす。

短い文章だけれど、なかなか味がある。「ひとりで」と「まってます」が平仮名で書かれているところなど、意図した工夫だとしたら悪くない。呼び出しの印象がやわらいでいる。漢字に頼らずに平仮名を使ったというのは、もしかしたら肉筆で字を書くのに慣れた人だからかもしれない。

そして、一番気になるのは、「ひとりで」の部分。ぼくに一人で来てほしいというのは、どういうことなのだろう。

余人の目を絶対的に避けたいということでは、たぶんない。たとえぼくが一人で行ったとしても、本当に人目を避けたいときの会合場所として、放課後の教室は極めて不充分。後ろ暗く、話の内容はおろか会っていることさえ隠さねばならない会合は、学校外のどこかでやるのが妥当だ。

そうだ。以前、ぼくが中学生だったころ、「ひとりで来い」という趣旨のメモを受け取ったことがあった。

思い出すだけでおぞけが立つけれど、ぼくは他人の問題に首をつっこみ、それを自分で解決できると思い込んでいた。それらの問題に絡んで、ぼくは何度か呼び出された。召喚状にはたいてい「一人で来い」と書いてあったけれど、本当に一人で行くことは、あまりなかった。いつだったかのご指定場所は潰れたボーリング場の駐車場で、普段でも近寄らない場所。万が一を考えれば、まあ、用心に越したことはなかった。

しかしそれは過去のこと。いまはぜんぜん、心当たりがない。そのせいでこんな短い文面に、こんなに惑わされている。

ぼく、小鳩常悟朗《こばとじょうごろう》は、どこに出しても恥ずかしくない一介の小市民に過ぎない。クラスに溶け込み笑顔を振りまき、それでいて相手の名前も憶えていない、ただの船戸高校二年生。

そのぼくが、いったいなぜ呼び出されなければならないのだろう。

それを推察する手がかりがほしくて、ぼくは紙片を弄《もてあそ》んでいる。匿名の某くんに呼び出されて、正体もわからないままほいほい参上するのは、どうにも気分が悪い。とはいえ、一枚の紙片から読み取れることはさほど多くない。結局は出たとこ勝負になる。まあ、まさか学校で闇討ちに遭うようなこともないだろう。

夕焼けは少し、明るさを落とした。その赤い光に、いつの間にか夜の気配が忍び込んでいる。行く手の先に、一人の女子生徒を見つける。今度も知っている生徒だ。高校に入ってから、彼女とクラスが同じになったことはない。ぼくの見る限り、そこそこ人づきあいがよく、そこそこ友達も多いようだ。下級生どころか中学生、ひょっとしたら小学生にも見えるが、れっきとした同学年の子。

もちろん、目を合わせずにすれ違う。

彼女の名前は知っている。小佐内《おさない》ゆき。小市民を目指すと言い張っている、嘘の多い女の子だ。

2

議論は早々に行き詰まり、堂々巡りを始めた。同じ提案と同じ拒否が、言葉だけを変えて繰り返された。この不毛な応酬を打ち切る方法はわかっている。おれが説得を受け入れ、黙ればいいのだ。しかし、どうしても諦《あきら》めきれない。なぜわかってくれないのかと苛立ちながら、もう一度言う。

「おれの言ってることが、そんなに変ですか。実際、新聞にも出てた話だし、知ってるやつはみんな知ってますよ。それを載せることが、なんで駄目なんですか」

「落ち着けよ、瓜野《うりの》」

堂島《どうじま》部長は腕組みを崩さずおれを見ている。角顔で肩幅が広く、厳《いか》つい部長ががっしり腕を組むと、何か分厚い壁がそそり立っているように感じる。だけど怯《ひる》んではいられない。どこかうんざりしたような目つきに、またむかっ腹が立つのだ。

「落ち着いてますよ。部長こそ、人の話を聞いてますか」

「聞いてる」

背もたれに深く沈めていた体を、ゆっくり前に起こしてくる。堂島部長は、これで最後だというように、言葉に力を込めた。

「お前こそよくわかっていないようだな。まとめてやる。この部活で作ってるのは学内新聞で、全国紙の地域面じゃない。俺たちに、警官に話を聞きに行く力があるか。被害者のコメントを取りに行けるか。万が一トラブルに巻き込まれたとき、誰が責任取るんだよ。お前の親か、顧問の三好《みよし》か、それとも俺か？

この町で起きた『事件』を扱いたいっていう言い分は、わかった。だがそれは背伸びだ。どうしても世間様に言いたいことがあるんなら、それこそ朝刊の、投稿欄なんかはどうだ。『ヤングの声』のコーナーもあったと思うぞ」

皮肉で言っているのではなく、本当に勧めてくれているらしいのにいっそう腹が立つ。

警察に話を聞く必要があるなら、行けばいい。その気になれば被害者のコメントだって取れるだろう。どうして部長はこれほど及び腰なんだ。

「だから！　この記事の」

と、おれはデスクに広げた新聞を、二度三度と平手で叩く。そこに書かれているのは、「非行グループ　仲間を誘拐」の記事。

「誘拐された仲間ってのが、この高校の生徒だって情報があるんですよ。うちの学校の話でしょう。なんでそれが、駄目なんですか」

堂島部長はもう、議論をする気はないらしい。溜め息をついて、

「お前の腹は読めてるよ、瓜野。ここでその記事を載せたらそれを前例にして、来月号から学外の記事をどんどん扱うつもりだろう」

腹もなにも、実際におれはそう主張してきた。

「そのどこが悪いんですか」

「もういい。部長判断だ。何なら多数決でもいいぞ。その枠には、体育祭の補足記事を載せる」

部室を見まわす。

あっちで取ったメモ、こっちで撮った写真、ろくな整理もされないで積み上げられて、何が何だかわからなくなった印刷準備室。部員総数五人の、船戸高校新聞部。夏休み前に三年生が引退するまでは女子の先輩もいたのに、いまは男ばかりだ。

二年生で部長の、堂島健吾《けんご》。体育会系っぽいがっしりした体に厳つい顔を乗せて、押し出しは立派。が、おれが見るところただの守旧派か、でなければ臆病者だ。

同じく二年生の、門地《もんち》譲治《じょうじ》。おれたち一年生と打ち解けることはなく、かといって堂島先輩と仲がいいわけでもない。卑屈そうな伏し目で、いつも見せびらかすように本を読んでいる。たいてい、教養系の新書。六百円ぐらいで買える、『なぜ○○は××なのか』とかいう類の題名ばかりだ。

一年生の岸完太《きしかんた》。いい加減なやつで、山ほどストラップをつけた携帯電話は始終ぴろぴろと鳴っている。放課後になると、ワックスでこれでもかと髪を逆立てる。この印刷準備室を、化粧室代わりに使っているような男だ。

もうひとり、一年生の五日市公也《いつかいちきみや》。岸は当てにならないが、五日市はきっちり記事を書く。人の顔色を見て話すようなところがたまにカンに障るが、真面目なやつだということはわかる。だが小心だ。

四人の中で、おれに賛同してくれそうなやつはいない。船戸高校新聞部で、おれは孤立した。

孤立そのものは怖くない。もともと、記事はひとりで作るつもりだった。だけど、枠が与えられないのでは何もできない。どうして、こいつらは全員こうなのか。上手くできるかどうかはわからないけれど、部活で作る学内新聞だからこそ、失敗したって立て直せる。そうは考えないのか。

「……わかりました」

もう、何を言う気もなくした。あとは憤然と部室を飛び出すぐらいしか、おれにできることはなかったのだ。

苛立ちを抱えながら教室に戻ると、苦笑いがおれを迎える。

「やあ。のれんに腕押し、お疲れさま」

おれはそいつの机に、どっかりと腰を下ろしてやった。

「嫌なことを言うな。どうなるか、最初からわかってたみたいに」

「わかってたさ。もしわかってなくても、その顔を見ればわかる」

「そんなに、おれ、顔に出るかな」

そいつは親指と人差し指の間に隙間を作り、「ちょっとね」という仕草にしてみせる。

氷谷《ひや》優人《ゆうと》。中学校のとき、塾が同じで知り合った。高校に入って同じクラスになったときは、それなりに嬉しかったものだ。表情が乏しい方ではないのだが、黙って座っていると何か深遠な悩みを抱えて憂鬱になっているように見える。その中性的な顔立ちは男から見てもなかなか整っていて、軽薄な黄色い声をかけられることも多い。

ただ、おれはこいつの容姿にではなく、頭脳に一目置いている。

何事も、ずば抜けて理解が早い。おれはそれなりに勉強してこの船戸高校に入ったが、氷谷はぽけっとしたまま、楽々と入試をくぐり抜けた。自身で成績がいいだけでなく、人に教えるのも上手い。実際、塾ではずいぶん世話になった。

こいつにもう少し覇気《はき》があれば、何か面白いことがやれるはずなのだ。なのにこうして、世の中のすべてを遠慮しておきますといった顔で笑うだけで、目立つことは何もしない。いまもそうして、笑っている。

「瓜野の不満もわかるけどね。確かに、うちの新聞部のやることは、つまらないよ」

「だろう？」

おれはこぶしを握り固める。

「高校で新聞部なんていまどき珍しいから、どれほどのものかと思ったら。去年の記事を真似て書く以外に、やることがない」

「真似てるわけじゃないだろうさ」

と、氷谷は小さく肩をすくめる。

「新聞部は、年中行事のことを書いてるだけだよ。……ただ、その年中行事が、去年のと変わらないだけで」

「結果は同じだ！」

今年の九月号は、体育祭の記事が中心になっている。もちろん去年の九月号も、一昨年のも。それは仕方のないところがあると、おれもわかっている。学内新聞が体育祭に触れもしないというわけにはいかないだろう。だけど、紙面全部を占めなくてもいい。自分たちなりの工夫ができずに、いったい何が楽しいのか。

おれはそれが不満だった。学校の中の話題だけでは、紙面に変化がない。手を広げるべきだ、と。ネタもきっちり用意した。夏休みに起きた誘拐事件。書けと言われれば、すぐにも書けた。取材すれば、連続記事にだってできたのに。

しかし提案は一蹴《いっしゅう》された。堂島部長は、ほとんど相手にもしてくれなかった。憤懣《ふんまん》やるかたないおれを、困ったやつだと言わんばかりに氷谷が苦い顔で見上げている。

「だから言っただろ。無駄だって」

どうして無駄だと思ったのか訊けば、理由はずらずらと出てくるだろう。そしておれも納得するに違いない。

いや、本当は、おれも無駄だと気づいていた。入学から半年近く経っている。新聞部の傾向を摑むには充分な時間だ。

あの部活の誰一人として、変化を求めはしない。そうなんとなくわかっていた。しかし、

「無駄だと思ったらやらないのがお前。それでもやってみるのが、おれなんだよ」

氷谷はくちびるの端を上げる。

「頼もしいね」

冷やかされているのはわかる。だがおれも、そうそう言われっぱなしではいない。

「なら、氷谷。お前も中学校には三年間通っただろ」

「まあ、国の方針だからね」

突然の話に戸惑いながらも、はぐらかすような言い方は変わらない。

「ありがたくも、三年きっちり通ったよ」

「で、これぞってこと、何かしたか？」

氷谷は少し顔をしかめた。暑苦しい話ならごめんだよ、と、顔で言われた気がする。それでも、最後まで言う。

「おれはしなかった。三年間、勉強して部活して、それで終わった。同じ三年を繰り返すのは嫌なんだよ。そう決めたのに、もうほぼ半年経つ。お前は数学が得意だからわかるだろ。三年間に、半年は六回しかないんだよ」

しかし氷谷ははぐらかすような言い方を変えない。

「そのこころざしや良し。でも手段が新聞部ってのが、微妙に曲がってるね。立身出世を狙うなら、もうちょっとメジャーな方向で攻めればいいのに」

痛いところを衝いてくる。黙ってしまったおれに、氷谷はひらひらと手を振った。

「まあ、応援はしてるよ。いつだって、応援はしてるさ」

いつだっての後に、誰をだって、がつきそうな言い方だった。

本当を言えば、おれは氷谷には応援などしてほしくない。味方になってほしいのだ。しかしそれを口にするのはさすがに自尊心が許さないので、おれは自分の教室からも、憤然と出て行くしかない。

3

直感は当てにならない。メモの字を見て男が書いたのかなと思ったけれど、放課後の教室でぼくを待っていたのは、女子生徒だった。

夕焼けは目が痛いほどの鮮やかさを失って、たちまちに色を暗くしていく。その女子生徒は窓際に立ち、窓を開けていた。どうやら外は風が強いらしい。夏服のスカーフが、吹き込む風に揺れていた。

彼女のことは知っている。クラスメートだ。推理はもちろん当たっていた。ただ、名前まではわからない。何のために呼び出されたのかも。彼女は言った。

「五時半、ぴったり。時間に正確ね」

棘《とげ》のない、大人びた声だった。聞き覚えがある。もしかしたら、一年生の時から同じクラスだったのかもしれない。

物騒な話ではないだろうと思っていたけれど、相手が女子生徒一人だというのはやはり、ほっとした。手紙に誘われ、のこのこ出て行ったら吊し上げ……。そんなことも、ちらと頭をかすめないわけじゃなかったから。

「せっかくのお呼び立てだからね。礼儀は守るよ」

言うと、女子生徒は笑って窓を閉め、こちらに数歩近寄った。

「ごめんね、遅い時間に呼び出して」

「あっという間だったよ」

その後の沈黙を、ぼくは「で、ご用はなあに？」という促《うなが》しに代えた。女子生徒はもう一歩、二歩と近づくと、手のひらを体の前で重ねた。

「ちょっと、訊きたいことがあって」

「ぼくに？」

いまのぼくに、何かを尋ねる人がいるとは思わなかった。ぼくはもう、他人の厄介事に首をつっこんだりはしないので。心のどこかが、ざわりと波立つ。

……でも、まあ、頼まれれば少しぐらいは、知恵を出すこともあるのかな。それで彼女は、何を知りたいのだろう。できれば、ちょっとは複雑な方がいい。他の人だとなかなかピンと来ない、難しい頼み事だといいな。

しかし、思わぬことを訊かれた。

「小鳩くん、あの子と別れたんでしょ?」

誰のことを言っているのか、すぐにわかった。

小佐内ゆき。ついこの間まで、ぼくと共に「小市民」を目指す同志だった。恋愛関係でも依存関係でもなく互恵《ごけい》関係をもって、ぼくと小佐内さんは互いに互いを見張った。小市民への道を踏み外さないように。

その関係は、夏休みに解消した。それは自然なことだったと、いまでも思う。ぼくはぼくで小佐内さんは小佐内さんで、地道に少しずつ、小市民へと変わっていくだろう。しかしこのクラスメートは、いったいどうしてそれを知っているのか。

はっとした。心当たりがひとつだけ。

小佐内さんと別れたのは、ある事件の結果だった。その事件には多くの人間がかかわっていた。中には法を犯した者もいた。一網打尽にされたと思っていたけれど……。

まさかの思いに、ぼくはたじろぐ。こいつ、もしかしてあの連中の?

知らず、ぼくは身構える。しかし女子生徒は、そんなぼくの反応に、目を丸くした。

「どうしたの、そんなにびっくりしないでよ」

「びっくりしたわけじゃないけど、どうして知ってるのかな」

「……見てればわかるよ、夏休みが終わってから、二人でいるとこ見たことないし。友達もそう言ってたし」

それだけ？

ちょっと様子を窺ってみたけれど、本当にそれだけらしい。そうなると大袈裟に反応した自分が恥ずかしい。ぼくは笑ってごまかした。

「そうか。そうだね。わかるものなんだね」

「じゃあ、やっぱり別れたんだ」

「うん、別れたよ」

にこにこして、そう答える。すると女子生徒は、なにやら小さくこぶしを固めた。いったい、それが彼女と何の関係があるのか、いっこうにわからない。よく考えてみればわかるかな、と思考に入ろうとしたところ。名も知らないクラスメートの彼女は、お昼の献立《こんだて》を決めるようにさらりと、こう言った。

「じゃ、あたしとつきあおっか」

「え？」

「つきあっちゃおうよ」

「え？」

それで初めて、彼女のことをちゃんと見た。

小佐内さんと比べて、背の高い女子だった。もっとも小佐内さんより低い女子は、小学校に行かないと見つからないだろうけど。

教室はもう薄暗く、表情はよくわからない。ちょっと硬い笑顔を作っているような気がする。少し面長《おもなが》で、髪は長く、カールされている。ウェーブヘアだ。船戸高校はさほど校則の厳しい学校ではないけれど、どんな髪型でもノーチェックというわけではない。女子生徒はたぶん、地が癖毛なのだろう。目尻がちょっと下がっている。どちらかというと垂れ目なのか。首が細いな、と思った。

ど派手だとは思わない。けれど、まるっきり地味というのでは、決してない。そこそこ綺麗な容姿で、ほどほどに青春を謳歌《おうか》している。そんな感じだ。……つまりは、ぼくが内心で羨《うらや》む高校生活を送っているだろうタイプ。

目がいたずらっぽく輝いている。

「ね、小鳩くんって、下の名前は常悟朗だよね」

「そうだけど……」

「ジョーって呼んでいい？　かっこいいし」

ぼくはにこやかに、しかし即座に断言した。

「いやだ」

断固として却下。それで彼女は引き下がったけれど、なんだかその答えで、つきあうことそのものは呑まされたようになった。もしかして戦術だったのかな？

もちろんぼくだって、女子生徒から告白されることが光栄だということは知っている。小市民的男子高校生としては、特段の理由がない限り、断る必要もない。


というわけで、ぼくは彼女とつきあうことになった。

ただひとつだけ、問題が。

「じゃ、そういうことでこれからよろしくね、小鳩！」

そう呼びかけられても、ぼくは彼女に答えられないのだ。まずはなんとか、名前を調べるところから始めよう。それには、どうすればいいだろう？

ぼくが思うに、これは下駄箱の名札で片がつく。

4

印刷準備室も教室も飛び出したので、行くところがなくなった。それなら帰ればいいようなものだが、まだひとつ用があった。図書室で、本を借りていたのだ。

元新聞記者が書いた、『正しい記事の心得』とかなんとかいう本だった。新聞部を説得する材料になればと思って借りたのに、なんだか愚痴ばかりが載っていてちっとも役に立たない。三分の一ほど読んで放り出した。期限が来たから返さなくてはいけない。

放課後も、ずいぶん遅い時間になった。こんな時間に図書室に来たことはなかったから、少し驚いた。ぜんぜん人がいない。図書委員らしい男子生徒が一人きり、カウンターの向こうで何か熱心に読んでいるだけだ。邪魔をするのも悪いので、本は返却ボックスに入れておいた。堂島部長にはあしらわれる、氷谷には笑われる、本は読まずに返すというのでは、今日は何もかもが上手くいかなかったようで救いがない。それで代わりの本を探そうという気になった。

といっても、高校の図書室に、新聞部の一年生部員に役立つ本がそうそうあるわけもない。『良い記事の書き方』とかなんとかいう本をようやく探して、少し読んでから借りるかどうか決めようと席を探す。手近な席に鞄を置いて椅子に腰掛け、本を広げようとして気がついた。正面の席に、誰かの鞄がある。船戸高校指定の、校章の入った白い鞄。

ほとんど無人の図書室で、どれだけでも席はあるのに、わざわざ正面に座ってしまった。これでは、何か思わせぶりだ。しまったなと思いはするが、それでわざわざ席を替えることはしない。たいしたことじゃない。

ところが、本を抱えて戻ってきた相手を見て、おれは息が止まってしまった。

知っている相手だった。

こちらが知っているだけで、向こうは知らないだろう。堂島部長の知り合いらしく、何度か新聞部に来た女子。

最初見たときはまず、小さいなと思った。綺麗な黒髪のボブカットが、どこか鬘《かつら》めいていて、変わった雰囲気の女子だなとも思った。後になって、人形のようだというのはああいうときに使う表現なのかと思い当たった。

二度目に見たときも、高校の制服が似合わないな、としか思わなかった。部長には何かを頼みに来たようで、「あれのことで……」とだけ言っていた。堂島部長は新聞部部長だけあって、顔が広い。記事のことで何か約束があるのだろうと思った。

見る目が変わったのは、三度目のこと。夏休みが終わってすぐだから、そんなに前のことではない。


印刷準備室には、おれと堂島部長の二人しかいなかった。まだ来月号に取りかかるような段階ではなかったし、おれはそれとなく新聞部の方針への不満を滲《にじ》ませていたので、お互い話すこともなく部室はしんとしていた。おれはノートを広げ、たしか宿題か何かをしていた。堂島部長は腕を組んで、何か考え事をするように宙を睨《にら》んでいた。部長の右手に絆創膏が貼られていたのを憶えている。夏休みの間に、怪我《けが》をしたらしい。

その女子は、不意に印刷準備室のドアを開けた。パイプ椅子に座った堂島部長の横までずかずか歩き、何の前置きもなく、耳にくちびるを寄せたのだ。

何か、囁《ささや》いたらしかった。

その内容はわからない。ただ、その瞬間、おれの背すじに寒気が走った。

背丈や顔つきだけなら、どう見ても同級生とは思えない、どこかの中学校から潜り込んできているような女子。それが耳打ちの一瞬だけは目が細くなり、堂島部長の耳に合わせて身をかがめる仕草もしなやかで、おれはぞくりとしたのだ。目が離せなくなった。あれは色気だったのだろうか？　たぶん、そうじゃないと思う。容姿と表情と仕草があまりにアンバランスで、それが変に目を惹きつけたのだ。後になって、コケティッシュとはああいうときに使う表現なのかと思い当たった。……そのときは、ぽかんと口を開けて見ているだけだった。

耳元で囁かれている堂島部長は、ぎろりと目玉だけを横に動かして、腕組みの姿勢を崩しもしなかった。良い話なのか悪い話なのかもわからない。長い話ではなかったと思う。部長はやがて「わかった」と呟き、女子生徒は耳からくちびるを離した。

そして彼女は、たったいまその存在に気づいたというように、ふっと首をめぐらせておれを見た。さっきまで細められていた目が、まっすぐにおれを捉えていた。おれは背中に汗が浮くのを感じた。

彼女は、口許だけでわらった。「あなたには関係のないことよ」と言われた気がした。

また二人だけになってから、堂島部長にいまのは誰かと訊いた。部長は妙に苦々しい顔つきで言った。

「小佐内といってな。まあ、なかなか、手に負えんやつだよ」

いま、放課後の図書室でおれの前に立っているのは、その小佐内だったのだ。

「わたしに何か、用があるの？」

と、出し抜けに訊かれた。それで、自分が小佐内の顔をまじまじと見ていたことに気づいた。

「ああ、いや、ごめん」

目を伏せる。小佐内はあからさまにおれを怪しんでいたが、やがてぽつりと言った。

「あなた、どこかで見たような気がする」

「ああ、うん、それはたぶん」

椅子に座っていてよかった、と思った。なんだか三半規管がおかしくなったように、ぐらぐらする。

「新聞部で、会ったんだと思う」

「新聞部で……？」

ちょっと難しい顔をする。右手の人差し指を、柔らかそうな頰に当てて。考える時間は長くはなかった。小佐内は小さくかぶりを振った。

「思い出せない。ごめんね」

「ああ、うん、ちらっと見かけたぐらいだから仕方ないよ」

自分でも滑稽《こっけい》なぐらいに、おれは必死に笑顔を作った。あんなに長い時間目が合っていたのに、憶えられていないのがやけに不思議だった。もしかしたらおれが長かったと思っているだけで、実際は一瞬だったのかもしれない。

小佐内はもう一度、

「ごめんね」

と言うと、手にしていた本を机に置く。そして、両手を机について、改めて訊いてきた。

「それで、わたしに何か用があるの?」

柔らかい言い方ではなかった。といって、拒絶されているわけでもない。なんというか、距離を測られているような感じ。……こんなとき女子はみんなこうなのか。それとも小佐内だけが、こういう空気を纏《まと》うのか。

すっかり、待ち構えていたと誤解されている。無理もない。

「ああ、いや」

気づかなくて偶然座っただけ、と言おうとした。

けれど、それはあまりにもったいない。

図書室には誰も、カウンターの向こうで目も上げない図書委員以外には誰もいない。小佐内は数十センチの距離で、おれを見つめている。こんな偶然は予期できるはずもなく、おれには何の覚悟もない。ただ瓜野高彦《たかひこ》の特徴として、覚悟だけはいつでもすぐに用意できるのだ。

小佐内がおれの言葉を待っている。なら、言おう。いま言おう。

「見とれて、いたんだ」

「え？」

「この間から。憶えてもらってないみたいだけど。もし用事がなかったら、少し、いいかな。話してみたかったんだ」

我ながら、度胸があった。おれは一言もつかえることなく、笑みさえ浮かべることができたのだ。

小佐内は目をしばたたかせた。冗談やからかいの色を探すように、まじまじとおれを見た。ここで吹き出したり、目を逸らしたりしては、もう機会は消え失せてしまう。それがわかっていたから、おれは小佐内の視線を真正面から受け止めた。

いまのいままで気づかなかったけれど、夕焼けのやけに赤い日だった。

笑ったのは、小佐内の方だった。おれの目を覗き込んだまま、小さくくすりと笑った。

「はっきりした男の子、わたし、嫌いじゃないの」

体から、力が抜ける。余裕ぶって見せながら、自分がぎりぎりまで力んでいたことに気づいていなかった。小佐内が笑ってくれた。嫌いじゃないと言ってくれた。

机の上の本を拾い上げ、小佐内はその本で、口許をそっと隠す。

「いいわよ。でもお話しするのに、図書室じゃいや。いいお店を知ってるの。ガトーフレーズが、とっても素敵なお店」

おれはすぐに立ち上がる。

「じゃあ、行こう」

情けないことだ。さっきはすらすら言葉が出たのに、この一言だけは声が裏返ってしまった。

ただ、その失敗を悔やむ気は起こらなかった。

ぽうっとして、何も考えられなかったから。

第二章　あたたかな冬

1

小佐内の下の名前は、ゆきといった。

かわいらしく、それでいてどこか頼りない感じのする小佐内に、よく合った名前だと思った。なぜか小佐内は、つきあい始めたその日から、硬さというものを見せなかった。素振りを見れば人見知りをしない性格というわけではない。むしろその逆で、よく知らない相手からは逃げまわるようなことさえする。それなのにおれに対しては、最初から普通に接してくれた。

出会い頭の事故のようにつきあうことになって、硬くなっていたのはおれの方だ。女子と一緒に下校するのに、半月ぐらいは慣れなかった。

その半月の間に、おれは大きな爆弾を投げつけられた。

そもそも船戸高校では、生徒はみな、クラス章をつけることになっている。男子は襟《えり》に、女子は胸に。しかしこれは有名無実化していて、八割方の生徒はそれをつけていない。それで、当然もっと早くに知っておくべきことを、おれはしばらく訊けずにいた。

秋も浅いころ、たしか紅葉も始まる前だったと思う。自転車で通学している小佐内は、わざわざそれを押して、おれの隣を歩いてくれる。おれは、何の気なしに訊いた。

「ところで、小佐内ってクラスはどこだっけ」

小佐内はどうやら、いつかその質問が来ることを予期していたらしい。しかもある種のおかしみをもって、待ち構えていたようなのだ。くすくす笑って、こう言った。

「わたし、C組」

嘘だと思った。なぜならおれもC組だから。

おれはまだ、小佐内という子のことをよく知らなかった。だから、これは何か迂遠《うえん》なジョークなのではないかと思った。曖昧《あいまい》な笑いを返しておいて、改めて訊いた。

「で、本当は？」

「本当よ。本当にC組」

「嘘つくなよ。おれがCだ」

「わたし、嘘つきだって言われたことがあるの。でもこれは本当。C組よ」

それから小佐内は、おれの顔を下から見上げて、こっそり付け加えた。

「……二年のね」

小佐内は一年生だと思って、疑っていなかった。あまりに小さいので。

もちろん最初は信じなかった。が、小佐内は別にもったいぶることもなく、胸ポケットから生徒手帳を出してきた。おれの入学年度よりも、一年早い数字が書かれた生徒手帳。おれは絶句した。

「先輩、だった、んですか」

小佐内は、さも嬉しそうだった。

「うん。でも、いままで通りでいいよ。先輩に見えないでしょ。……瓜野クン？」

実際、先輩には見えなかった。

そのあたりのことを、おれと小佐内がつきあい始めたことを知った氷谷は、こう言ってからかった。

「なんだ。瓜野にロリコン趣味があるとは知らなかったな」

そんな悪趣味な冗談に、おれはボディーブローで応えたのだ。


やがて、木枯らしが吹いて落葉樹が葉を落とし始め、冬が来た。

十二月に入るか入らないかのころ、小佐内に誘われて、放課後に喫茶店に入った。〈アールグレイ2〉という名前で、こぢんまりとしていかにも女の子向きの店だった。

小佐内は頻繁に、こういう喫茶店に入る。コーヒーや紅茶が好きなのではない。ケーキが好きなのだ。現にこの店でも、メニューも見ずに、

「ケーキセット、紅茶はミルクで、ケーキはティラミスでお願いします」と注文している。おれは、そんなに小遣いを貰っていない。いきおい、「ボクはコーヒーだけで」などと小声で呟く羽目になる。

ガラスのカップに入ったティラミス。小佐内はまず、その表面をスプーンで撫でる。ティラミスにまぶされたココアパウダーがスプーンについて、小佐内はその粉だけを舐めている。なんというか、獲物をつついて遊ぶ猫のように見える。

対しておれは、熱すぎるコーヒーを持てあまし、砂糖だけ入れたカップを漫然とかき混ぜていた。小佐内の前なので、あまり不作法な真似はしたくない。スプーンがカップに触れないよう、そっと混ぜていた。

「ねえ」

不意に、小佐内が声をかけてくる。おれは声を出さず、目だけを向ける。小佐内はティラミスをつつくことをやめ、スプーンを立てて握っていた。

「どうして、溜め息ついてるの?」

そう言われて初めて、おれは自分が溜め息をついたことに気づく。もし二人でいるとき、小佐内が溜め息をついたら、退屈がられたのかと思っておれは大いに慌てるだろう。スプーンを置いて、謝る。

「ごめん。ちょっと」

「何か、悩み事があるの？」

小佐内は、握ったスプーンを軽く宙に振った。

「おねえさんに相談してみたら？」

他人から見たら、おれと小佐内はカップルどころか、「妹にごちそうしてやる兄」ぐらいには見えてしまうだろう。そんな小佐内の口から「おねえさん」なんて台詞《せりふ》が出たのがおかしくて、思わず吹き出した。低い声がそれに応える。

「……笑うところじゃない」

「え、違うのか」

抗議の意思を込めるように、小佐内はスプーンを一気にティラミスに差し込んだ。カップの底に当たって、かつんかつんと音が鳴る。

おれが溜め息をついていたとしたら、原因ははっきりしている。おねえさんに相談という気にはならないが、話を聞いてほしいような気はした。

そんなに深刻に話すつもりはなかったのに、自然と少し、声が沈んでしまった。

「なあ。学内新聞って、読んでるか」

「学内新聞って、『月報船戸』のこと？」

びっくりした。

新聞部が作る学内新聞は、原則毎月一日に配られる。といっても、長期休みや試験などであれこれずれるので、一日というのはほとんど建前に過ぎない。全八ページ。以前は印刷屋に頼んでいたらしいが、いまはパソコンで記事が作れるので、学校備え付けのプリンタで全校生徒分を作っている。

千枚近い学内新聞を一枚一枚折っていくのも大変だが、配布も重労働。おれたち新聞部員が一日の早朝、全校生徒の机の上に置いてまわるのだ。伝統的にそうなっているということだが、おれは「そうでもしないと誰も手に取ってくれない」という悲しみを感じてしまう。実際、クラスで見ていると、ほとんど誰も読んでくれていない。毎月一日の放課後、各教室のごみ箱は学内新聞でいっぱいになる。

その紙名は、『月報船戸』で当たっている。おれたち新聞部員でさえときどき忘れてしまうのに。

「どうして知ってるんだ」

変な質問だった。小佐内は小さく笑って、

「お友達が作ってるんだもん。配られたら、読むようにしてるの」

堂島部長のことだ。小佐内とつきあうようになってもう三ヶ月経つのに、そういえば堂島部長との関係は聞いたことがない。夏休みの直後に一回来たきりで、小佐内は部室にも来ないし……。訊いてみたくなったが、それは後にした。いま訊くことじゃないと思ったし、それになにより、あんまりつついては了見の狭い男みたいだ。

いまは、学内新聞のこと。

「それで、どう思った？」

「どう、って」

「面白かったか？」

誰が小佐内のことを「嘘つき」と言ったかは知らないが、このときの小佐内は、紛れもなく真実を口にした。一瞬もためらわず、こう言ってのけたのだ。

「普通」

おれは苦笑した。

「普通って、もうちょっと言い方がないか？」

「うん。普通の中の普通。類希《まれ》なる普通。わたし、『月報船戸』を読むといつも、これってただごとでなく普通だなって思うの」

思いがけず、豊かな表現が返ってきた。こう聞くと、普通であることが偉く思えてくる。ともかく、小佐内の言う通りだ。『月報船戸』は普通だ。あまりにも。

「そうだ」

と、頷くしかない。そしておれは力を込めて、言った。

「それじゃあ駄目だと、ずっと思ってる。変えるためのアイディアはある。もっと、学外の記事を取り入れるんだ。一気にものすごく良くなったりはしないと思うけど、少なくとも、何かのきっかけにはなる。

なのに誰も賛成してくれない。行動に移せない。たぶん溜め息も、そのせいだと思う」

十月一日に配られた十月号は、体育祭の記事で終わった。十一月号は文化祭だった。十二月号は年末特集に違いない。

例年の踏襲だけでは駄目だと言い続けているのに、何の決め手も見出せないまま、ずるずると時間だけが流れていく。普段は腹立たしい程度だけど、たまに叫びたい気分になる。そしてたまに、憂鬱になるのだ。溜め息のひとつぐらい、出ようというものだ。

「どうして」

と、小佐内が訊いてきた。

「どうして、って、何が」

「うん。どうして瓜野くんは、それじゃ駄目だと思うの?」

何を訊かれているのか、とっさにはわからなかった。普通の中の普通。そんな紙面が、駄目でないはずはない。

「じゃあ、『月報船戸』は好きか?」

小佐内はきょとんとして、スプーンを口にくわえている。ふと気がつくと、さっきまではココアパウダーで遊ばれていただけだったティラミスが、縦に切ったようにきっちり半分、消えてなくなっている。いつの間に……。そしてスプーンをくわえたまま、かぶりを振った。

「好きになりようがない」

「だろ。それじゃあ、駄目なんだ。もっと、読みたくなるような、好きだと言ってもらえるようなやつじゃないと」

小さく唸ってスプーンを皿に置き、小佐内は難しい顔をした。

「それじゃ、駄目って理由になってない。瓜野くんは、あの学内新聞が大好きなの？ それで、みんなに読んでほしいって思ってるの？」

なるほど、そういうことか。おれはコーヒーを口に運ぶ。まだ熱い。

「そう言われると、違うと思う。おれはただ、他の誰でもないこのおれが、どの『月報船戸』にも載ってない記事を書いたんだと言いたいんだ」

少し言葉が足りないような気がして、言い足す。

「有名になりたいわけじゃない。ただなんというか、どこかに、瓜野高彦は船戸高校にいましたと、そういう跡を残したい。変なこと言ってるかな」

「ううん」

小佐内は、今度はにこりと笑った。

「それなら、わかる。……きっと、雪の降った朝、一番に道に出て、足跡をつけていくような気分」

ロマンティックだ。やっぱり、小佐内は女の子だ。

「それで、他のひとがもう足跡をつけられないように、ぜんぶ雪かきしちゃうの」

「……何のために」

「え？　だから、他のひとがもう足跡をつけられないように」

まだ、小佐内の冗談のセンスはよくわからない。

何か思いきったように、小佐内はスプーンを素早く動かした。残り半分のティラミスを、一気に平らげてしまう。あまり急いで食べたので、ココアパウダーが口のまわりについている。それに気づくこともなく、小佐内は言った。

「うん。わたし、瓜野くんを応援したい。……いい？」

応援は、氷谷もしてくれている。この間なんか「フレー、フレー」と言ってくれた。だけど小佐内が応援してくれるというのは、氷谷のそれとは違う。本当に、頑張れるような気がする。

おれはもちろん頷いて、

「頼りにしてるよ」

と言った。

◇

一週間で、応援の効果が現れた。

新聞部は月に一度、第一週の金曜日、全員を集めて編集会議を開く。普段ろくに顔を出さないやつ、たとえば岸完太も、この日は無理矢理にでも呼ばれてくる。

おれが学外記事の提案をしたのは、九月の会議。十月、十一月の二回、おれは黙っていた。説得の材料がないのに提案ばかり持ち出しても、かえって相手にされなくなるばかりだと思ったから。もちろん、だからといって何もしていなかったわけではない。ヘッドを落とせば、他の部員なんかどうにでもなる。何度も部長にアプローチはしてきた。しかしこれといって前向きな返答も貰えないまま、こうして十二月の編集会議を迎えてしまう。

九月に話を持ち出したときには、ネタがあった。夏休みに起きたという船高生誘拐事件。しかしいま、めぼしいネタは見つけられていない。十二月になって夏休みの件を持ち出しても、旬が過ぎていて説得力がない。それに取材を進めていたわけでもない。徒手空拳で、それでも言ってみるべきかどうか……。

そんな迷いを胸に秘めて、おれは会議に臨んでいた。

「一月号は、校長のことばを一面に貰うことになってる。あとは各学年主任と、生徒会長に原稿用紙で二枚ずつ書いてもらう。テーマは『新年を迎えるにあたって』。で、まあ、できあがりだ」

去年の一月号を前に、二年生の門地が説明する。毎度のことではあるが、やることはそれで全部決まってしまう。あまりに繰り返されすぎて、おれもつい、それでいいんじゃないかという気にさせられてしまう。

「よし。誰がどこに行くかだな。校長には、全員で行く」

堂島部長が、あっさりと話を進めていく。誰のところに誰が行くか。依頼する際に注意すること。

「あらかじめ、どんなことを書くか簡単に聞いてきてくれ。かぶると困る」

細かいところにも気をつけている。昨年通り踏襲することに関しては、実際、堂島部長は申し分ないのだ。おれは二年の学年主任に記事を頼みに行くことになった。黙って引き受ける。どうせ、「新聞部ですが今年も二枚です」「おお、そんな時期か」というだけで済む役割だ。

おおよその手順が決まる。スペース配分も例年通り。三十分ほどで、では散会となりかける。

……話を持ち出すなら、ここだ。

しかし。

「あ、ちょっと待ってください」

腰を浮かしかけた面々を止めたのは、おれではなかった。

煮えきらない声が、おどおどと言う。

「あの。えっと、やってみたいことというか、お願いというか、そういうのがあるんですけど。ちょっといいですか」

五日市公也だった。自分から「待て」と言っておいて、全員の視線が集まると、耐えかねたように下を向いてしまう。

「なんだ」

堂島部長が促す。もうほとんど立ち上がっていた岸も、舌打ちさえしそうな顔で座り直す。

「や、実はですね」

五日市はもぞもぞと、鞄から『月報船戸』を出してくる。今月の頭に出た、最新号だ。

「よくあるでしょう、『記者の目』とか『こぼれ話』とか、そういうの。コラムっていうかなんていうか、新聞の隅っこで、最近あったことを短く書くやつです。ああいうの、『月報船戸』でもあってもいいんじゃないかって思ったんですけど、どうですか」

いまいち人前で主張することに慣れていなそうな話しぶりだった。何を言いたいのかはわかったが、おれはまだ、何が起きかけているのかはわかっていなかった。

心なし早口になって、五日市は続ける。

「そんなに長くなくてもいいんです。ただなんというか、誰かが文責持って書きたいことを自由に書けるスペースがあればいいんじゃないかなあって、そう思うんですけど」

「いらないだろ、そんなの」

言い終わるが早いか、門地が水を差した。

「別に書きたいことなんか、ないしな。それにお前、何か勘違いしてるだろ。『月報船戸』は、お前の書きたいことを書く場所じゃ……」

「まあ、待て」

言いつのる門地を、堂島部長が止める。どっしりと腕を組んで、いかにも余裕に満ち、落ち着き払っている。

「五日市。何か書きたいことがあるんだな」

それでようやく、五日市の主張がおれの主張と重なることに気がついた。自由に書ける場所が欲しい、ということだ。

いきなり本丸に踏み込まれ、五日市はしどろもどろだ。が、それでもなんとか頷く。

「そうなんです」

「言ってみろ」

「はい」

言うことを自分で確認するように、口が少しもごもごとする。

「えっと、今度、一月の二十日に市民文化会館でチャリティーバザーがあるんです。うちの学校からも何人か行くんですが、大人ばっかりの中で少し不安だから、うちの生徒も来るように取り上げてくれって頼まれたんです」

「頼まれた？　誰にだ」

「クラスの子です。あの、名前も言った方がいいですか」

部長が組んだ指をほどく。

「いや、いい。話はわかった。それで、コラムか」

目的をはっきり言ったことで、門地が不快そうに顔をしかめている。もし口を開いたら、「一年生風情が、紙面を私物化するつもりか」ぐらいは言ったかもしれない。しかし何も言わない。編集会議を重ねるうちにわかってきた。堂島部長が話を聞いている限り、門地は何も言えないらしい。

「チャリティーだから、売り上げは寄附するそうです。だったら別に商売じゃないし、手伝ってほしいって言われて……。僕は『月報船戸』はそういう新聞じゃないって言ったんですが」

何も言われていないのに、言い訳がましくなる。もっともその気持ちは少しだけわかる。堂島部長が腕組みして黙っていると、確かに迫力はある。

部長はじっと黙って考えていたが、それはそんなに長いことではなかった。

「……話はわかった。それは協力してやりたいな。ただ、そうなると、紙面はかなりいじることになる。何か考えがあるか？」

「はい」

待ち構えていたように、五日市が机の上の『月報船戸』をひっくり返す。人差し指で、最終面の一点を指さす。

「ここを削れば、コラムのスペースが作れます」

そこは編集後記だった。一ページの四分の一を使って、新聞部員全員が簡単な後記を書いている。一人一言というには長く、何か主張するには短すぎる。言われてみれば、中途半端なスペースだ。

「これを半分にします。すると、八分の一ページが取れます」

誰かが、「へえ」と声を出した。それは堂島部長でも門地でもなかったので、岸か。あるいはもしかしたら、おれが呟いてしまったのかもしれない。しばらく無言が続いたが、それは五日市の提案を黙殺したからではなく、その逆。たぶん、なかなか良いアイディアだと驚いたからだった。やくたいもない五日市のコラムはさておいて、ずるずる長い編集後記が引き締まるのは、それだけでメリットと思えた。

実際、それを受けて堂島部長が発した言葉も、

「それはいいが」

で始まった。しかしわずかな困惑を滲ませて、

「この『編集後記』は、ある程度新聞部員が多ければ恰好がつくが、五人では確かにいまいち締まらん。だから、減らすのはいい。……ただコラムという形にすれば、一回限りってわけにはいかんだろ。毎月のことになる。五日市、お前が毎月書くのか」

「いや、僕は」

初めて五日市が言い淀む。

そこに、意外な助けが差し出された。

「いいんじゃないすか、順番で」

ずっと黙っていた岸が、ぼそっと口を挟んだのだ。

「どうせ月に一回のことなんだし。順番でもいいでしょ」

「いや、でも」

何か気に入らないのか、門地がなおも食い下がる。

「今後部員が増えたら、『編集後記』は長くなるだろ。そんな、いま五人だからって、勝手に変えて」

しかしそこは、堂島部長がぴしりと決めつける。

「勝手って、別に誰の許可もいらんだろ。俺たちで決めることだ」

「そりゃそうだが」

「来年四月に新入部員がどっさり入るなら、そのときに考えればいい。新年号から紙面改変というのも、タイミングはいい」

そう言って、面々を見まわす。

「……多数決でも取るか。五日市の提案、賛成のやつ」

ちょっと驚くような、迅速な採決だった。五日市自身、岸。そしておれも手を挙げる。四人中、三人。決まった。

「よし。五日市は、きっちり準備しておけよ。解散」


事の意味ははっきりしていた。

要するに、八分の一ページではあるけれど、学外のことを自由に書く場所が転がり込んできたのだ。九月の会議であれほど熱心に主張して一顧《いっこ》だにされなかったのに、五日市の自信なさそうな話し方がすべてをひっくり返してしまった。

その日の放課後。たまにはとおれから誘ったクレープ屋で、立ち話になりゆきを話すと、小佐内は大いに喜んでくれた。

「よかったね、瓜野くん。よかったね!」

おれはたぶん、ああ、とか、うん、とか生返事をしたと思う。僥倖《ぎょうこう》が信じられなかったというよりも、あの苦労はなんだったのかと釈然としなかったのだ。チャリティーという単語が効いたのだろうか?

そんなおれを、生クリーム増量のいちごクレープを右手に持ったまま、小佐内が叱りつける。

「しゃんとするの! まだ、ページを貰う可能性が出てきたってだけなんだから。この一回のチャンスを、ちゃんと摑んで。でないと、わたしの応援、無駄になっちゃう」

確かにそうだ。ぐっと奥歯を嚙みしめる。

瓜野高彦の、これという業績を船戸高校に刻む。十二月の編集会議では、そのための扉が、ほんのわずかに開かれたに過ぎない。

夏休みの誘拐事件は、既に鮮度を失った。おれは何か、それに代わるような何かを見つけて、たった八分の一ページに叩きつけねばならないのだ。いまのところ、その当てはまったく見つかっていない。

できるのか、という不安は、きっとねじ伏せられる。やれると思う。

微笑む小佐内を見ていると、そんな気がしてくるのだ。知らず、手にも力が入る。

その途端、クレープ生地からチョコバナナがはみ出した。

2

仲丸十希子《なかまるときこ》さんは、ちょっと遊んでるふうの外見からは想像できないぐらい、気立てのいい子だった。あの日、放課後の手紙で呼び出されて以降、ぼくの幸せな高校生活は始まった。ああ、充実して生きてるなあ、と、何度思ったことかわからない。

学校中を二人で巡った文化祭。夜風がちょっと寒かったクリスマス。お正月には揃って初詣。健全な高校生にして小市民たるぼくとしては、申し分のない毎日だった。ぼくに「小さな誤解でやきもち焼いて口げんか」みたいな日が再び来るとは、実際、まるで思っていなかったのだ。

冬休みも明日で終わりという日のこと。かねて約束の通り、ぼくは出かけた。川を渡った柾《まさ》目《め》市にあるショッピングモール、〈パノラマ・アイランド〉の新春売り出しに、仲丸さんと二人で行くことになっていた。なんでもずいぶん、安いらしい。

待ち合わせ場所に着くと、仲丸さんは黒いロングコートを着て待っていた。白いマフラーに足元はブーツ。すらりとした仲丸さんには似合いの、大人っぽいいでたちだ。ぼくは小走りに駆け寄った。

「ごめんね、寒いのに、待たせちゃって」

仲丸さんはにこりと笑って、

「ううん、いま来たとこ」

と、普通のやりとり。ああ、幸せな気分。

連れだって一月の街を歩く。よく晴れているのにしんと寒く、ぼくたちの吐く白い息は、空中でもつれて消えていくのだ。

手をつなぎたいような気さえ、していた。

目的の〈パノラマ・アイランド〉には、バスで行く。

隣の市といっても、そんなに遠くはない。この冷え込みには参るけど、ぼく一人なら自転車で行ってしまう距離だ。ただ、仲丸さんはバスで行こうと言った。仲丸さんは通学用に、バスの市内学割定期券を持っているのだ。

これまで、公共交通機関にはあまり乗ったことがなかった。

木良市《きら》は東西に電車が走っている。駅の周辺だけ高架線路になっていて、駅前には立派なバスターミナルもある。でも駅は街の中にひとつ、木良駅があるだけなので、市内を電車で移動することはない。バスは結構路線も多いけど、なにしろたいていの場所には自転車で行けるので。

公共交通機関のお世話になるようになったのは、それこそ、仲丸さんの影響だ。いつだったかもちょっと遠くのシネマコンプレックスに、恋愛映画を見に出かけた。映画館に入るときはまだ昼間だったのに出てくるともう真っ暗で、映画に感動して涙ぐむ仲丸さんと一緒に、バスに乗ったのだ。

木良市のバスは一律料金。どこまで乗っても同じお値段。あまり裕福でない高校生としては、ありがたいシステムだ。ただ、その一律料金がいくらだったのか、どうも憶えられない。そんなに物覚えが悪い方じゃないはずなのに、二百十円か二百六十円か、どうしても記憶が曖昧なのだ。たしか十円玉が一枚必要で、それが面倒だったことは憶えているんだけど。仲丸さんに「バスっていくらだったっけ」と訊くのも恥ずかしいので、ポケットには小銭をずいぶん入れてきた。

二人並んで、停留所で待ちぼうけ。時刻表では十時四十二分には来るはずなのに、五十分を過ぎてもバスが来ない。バス停にはベンチがあるきりで、風を遮るものがない。寒さに仲丸さんが気になって、ふと隣を見ると、仲丸さんもちょうどぼくを見た。ぴったりのタイミングになんだかおかしくなって、二人でくすくす笑う。

「仲丸さん、寒いからどこか風の来ないところにいたら？　バスが来たら、教えるから」

そう言うと、仲丸さんはポケットに手を入れたまま、

「このぐらい平気だって。小鳩ちゃんこそ、マフラーもしてなくて大丈夫？」

最初の日、ジョーと呼ぶことを拒否された仲丸さんは、ぼくのことをしばらく「小鳩くん」と呼んでいた。ただ仲丸さんの語彙《ごい》の中で「くん」というのは変だったらしく、何度か「ジョーって呼んでいい？」と主張して却下され続けたあげく、「小鳩ちゃん」で落ち着いた。だんだん音便が働いて、いまではほとんど「こばっちゃん」と聞こえる。たまに「こまっちゃん」になったりもする。小松って誰だ。

遠く遠くで、サイレンが鳴っている。サイレンの種類で消防・救急・警察を聞き分けるぐらいはもちろんできる。これは消防だ。

遠いと思ったのに、サイレンはあっという間に大きくなって、バスが来ないか見ていた道の先から消防車が現れる。車体に「檜町《ひのきちよう》2」と書かれたポンプ車が二台、さほど猛スピードとも思えない速さでやってきて、ぼくたちの前を走りすぎ赤信号を突っ切っていく。ドップラー効果が耳に残る。

「またかな」

仲丸さんが呟くのが聞こえた。それでぼくは、ちょっと嬉しくなる。ぼくもまさに同じことを、つまり、またかということを思っていたから。

このところ、乾燥しているせいか火事が多いのだ。それでいつもより消防車の出番が多い。ぼくの家から幹線道路まではそれなりの距離があるけれど、それでも割と頻繁に、あのサイレンの音を聞いている。仲丸さんも火事に興味関心があるのかな。それとなく訊いてみようかな。

ところがそれは果たせなかった。

「あ、来た」

消防車の後を追うように、お待ちかねのバスがやってきたから。木良バス南方線パノラマ・アイランド経由。

で、料金はいくらだろうと思ったら、車体に書いてあった。「市内一律二百十円」。今度こそ憶えて、忘れないようにしよう。

バスには、車体中央から乗る。ステップを上がって乗り込むと、すぐに両替機が目についた。

仲丸さんがぼくを振り向いて、訊く。

「小銭持ってる?」

「大丈夫」

抜かりはない。二百六十円だった場合のことを考えて、充分な額がポケットに入っている。はず。改めて訊かれると不安になって、それとなくポケットの中で硬貨に触れてしまう。一方、仲丸さんは財布から五百円玉を取り出すと、両替した。

料金を払うのは、降りるとき。実は木良市には民営の「木良バス」と市営の「木良市バス」が走っていて、市営バスの方は、乗るときに料金を払うことになっている。ここも間違えやすい。あからさまに不便なのでそのうち改善されるだろうけど、いまはまだ前払いと後払いが混在している。いまぼくたちが乗ったのは民営バスなので、後払いで間違いない。

そうして乗り込んだバスは、予想外の混雑だった。ぎゅうぎゅう詰めというほどではないけれど、座席は全部埋まっている。あまりバスに乗らないぼくが、教えを乞う。

「いつも、こんなに混んでるの?」

すると仲丸さんは、少しあきれたように言った。

「なに言ってるの。これからよ」

これから何が起きるのか、ぼくにはよくわからなかった。まあこれからだというなら、そのうちわかるんだろう。もうひとつ訊く。

「どれぐらいかかるかな」

「んっと、道が混んでたら二十分かな。もうちょっと早いかも」

そんな話をしているうちに、早くも次の停留所が見えてくる。こんなに短い間隔でバス停があるというのも、知らなかった。

そしてそのとき、ぼくは仲丸さんの言葉の、意味を知った。

さっきの停留所にはぼくたち二人しかいなかった。それなのにどんな魔法か、この停留所には列ができていたのだ。列は長く長く、まさに長蛇と言うべきだった。あるいはマフラーに、あるいは毛糸の帽子に身を固め、彼らは疑いようもなくこのバスを待っていた。

寒空のもと北風に曝され、みな一様に青ざめて、恨めしげな目つきでぼくを、いやバスを睨んでいた。それはある種、陰惨な印象を与える光景だった。

バスが止まり、車体中央の扉が開く。長蛇の列はバスに呑み込まれ始める。正直に言って、ぼくはこの客たちの、半分も乗り込むことはできないだろうと思っていた。しかし間違っていた。蛇の形容は停留所に待つ列ではなく、このバスにこそ与えられるべきだったのだ。木良バスの車体は、鳥の卵を呑む蛇のように信じられない柔軟さで客を容《い》れていく。ぐいぐいと乗ってくる客のため車内の人口密度は一気に膨れあがり、ぼくは押され、引っ張られ、揉みくちゃにされ、あげく両手を挙げた姿勢で仲丸さんにぴったり寄りかかることになった。コロンの香りが漂ってきた。

さっきの仲丸さんの言葉、「これからよ」というのは、車内が混んでくるのはこれからだという意味だったのだ。ぼくは感心した。地獄のように人が並ぶこの停留所の、ひとつ前のバス停を待ち合わせ場所にした仲丸さんの知識に。そしてこの混雑のことを知悉《ちしつ》していながら、それでもなおバスを選んだ仲丸さんの勇気に。この普通の女子生徒を甘く見ていたことを、ぼくは深く反省した。

ところが仲丸さんは、そんなぼくの感服をあっさり裏切った。

「なんでこんなに混むの……？」

今日の混雑は、仲丸さんにとっても予想外だったらしい。まあ平日とはいえ正月だし、いろいろ普段とは違うよね。

銃を突きつけられた銀行員のように間抜けに両手を挙げたまま、ぼくはパノラマ・アイランドに向かって運ばれていく。もしここでスリがぼくのポケットに手をつっこんでも、ぼくはそいつを止めることはできない。幸い、この混雑では、いかな熟練のスリでも自分の身を守るので精一杯だろう。この姿勢で二十分は少々つらい。

バスの空調は、あまり効いてはいなかった。吹きっさらしのバス停からバスに乗り込んでも、すぐには「ああ、暖房があたたかいなあ」とは思わなかった。けれど押しくらまんじゅうをしていれば、すぐにも体はぽっかぽか。ひたいには汗まで滲んでくる。おまけに隣が仲丸さんなので、あんまり無遠慮に体を押しつけるわけにもいかない。いきおい、ぼくは乗客たちの圧力から彼女を守るため、必死に全身の力を振り絞る羽目になる。

そんなぼくの苦悩に気づいたのかどうか、仲丸さんが言った。

「三つ先で、ちょっとは楽になるはずだから」

それならじっと我慢の子。普段使わない背中の筋肉をぐっと固めて、有象無象《うぞうむぞう》から仲丸さんを守りきってみせましょう。そんな悲壮な覚悟を固めるぼくの耳に、どこか人を小馬鹿にしたような、明るい口調のアナウンスが届く。

『木良市役所からのお知らせです。六十歳以上の方は敬老パスをご利用ください。平日昼間の市内バス料金が無料、その他の時間帯は半額になります。お降りの際、乗務員にご呈示ください。バスの利用は、地球温暖化対策にもなります。乗って残そう、バス路線。木良市役所からのお知らせでした』

民営のバスなのに市役所が補助してるのか。でもこの大繁盛で残せない路線なら、たぶん何をしても駄目だと思う。

次のバス停にも、数人の客が待っていた。しかしバスは止まらなかった。運転手のものだろう、とても聞き取りにくい声が、

「満員です。次のバスをお待ちください」

と呟くのが聞こえた。

目の前に降車ボタンがある。ボタンがあると押してみたくなるのが小市民。パノラマ・アイランドが近づいたらぼくが押そう。そんなことを思って見ていると、ボタンの汚れに気づいた。純白であるべきボタンの端に、ほんのちょっとだけ赤茶けた染みがついている。これはさては血痕か。

まあ、たぶんチョコレートかな。よく見れば茶色いだけで、あんまり赤くないし。

「こばっちゃん、何見てるの」

君さ！　嘘だけど。何かの拍子で背中にかかる圧力が増して、ぼくは俯《うつむ》いて歯を食いしばる。

そして、お気楽車内アナウンス。

『次は檜町二丁目、檜町二丁目。豊富なメニューの和食処、〈春景〉はこちらでお降りが便利です。お降りのお客さまは降車ブザーでお知らせください』

と、ブザーが鳴った。アナウンスが言葉を続ける。

『次、止まります』

ふと顔を上げて、気づいた。

目の前のボタンの汚れが、ほんの数秒の間に拭《ぬぐ》われている。完全に拭き取られたわけじゃないけれど、伸びたようになっている。

その理由は明白だった。ぼくのすぐ近くの誰かがこのボタンを押して、ブザーを鳴らしたのだ。立っている乗客がそれを押そうとすれば、ぼくか仲丸さんの肩越しに腕を伸ばさなければならない。あるいはしゃがみ込んで、下からかいくぐるように、か。

そんなことはなかったので、ボタンを押したのは、この悪夢的混乱の中のうのうと座席に腰掛けている雲上人《うんじょうびと》だったらしい。何人が降りるかわからないけれど、この密度が減じるのはどれだけわずかでも大歓迎だ。

しかし、次の停留所で待ち構えていたのは奇妙な状況と、大変気まずい時間。

バスは止まった。停留所に客はいたが、運転手は車体中央のドアを開けようとしなかった。満員だからだ。もちろん車体前部のドアは開けた。そこから客が降りるのだから。

ところが誰も動かない。バスを降りる者はおらず、降りようとする者さえ見あたらない。運転手が車内マイクを通じて告げる。

「はい、檜町二丁目です」

しかし動きはない。無名の大衆と化した乗客たちは、儀礼的無関心の美徳をどこかに落としてしまったように無遠慮に、互いをじろじろと睨み合う。ブザーを鳴らしたのは誰だ、そいつのせいでバスが止まっている。それは許そう、だが降りるなら早くしろ。そんな無言の雰囲気が膨れあがり、ただでさえ窮屈な車内は、一種異様な緊迫感に満ちる。

降車専用の前部ドアから、客が乗ろうとしたらしい。運転手が苦々しい声で、

「そちらからは乗れません。ちょっと待ってください、満員ですから」

と制止する。

ぼくは知っている。

ボタンを押したのは、ぼくのそばで座席に座っている二人のうち、どちらかだ。前後に並んだ、一人がけの座席。

前の座席に座っているのは、ブレザーの制服にヘッドフォンをつけ、文庫本に目を落として

いる女子。後ろの座席には、座ってもなお杖をつき、不愉快な車内に耐えかねるように背を丸めている老女。どちらとも動く様子はない。

ということは、降りるバス停を間違えてうっかりボタンを押してしまったのだろう。運転手も、そう判断したらしかった。

「ありませんね。では、ドアを閉めます」

バスは再び走りだす。檜町二丁目のバス停で待っていた客こそ、いい面《つら》の皮だ。

約束の地、「三つ目」のバス停までは、赤信号をさらに二度経ることになった。

そのたびに車内には小さくない動揺が走る。しばしば襲う圧力を、ぼくは膝のバネで吸収しようと努めた。とにかく、手だけは下ろしたい。

永遠に続くかと思われた道も、いずれは目的地に辿り着く。車内アナウンスは相変わらず明るく、涼しげだ。

『次は、東部事務所前。東部事務所前です。お降りのお客さまは降車ブザーでお知らせください』

その降車ブザーは、とっくに誰かが押していた。

『次、止まります』

東部事務所というのは、ぼくの知らない意外な人気スポットだったらしい。仲丸さんが言った通り、少なくない乗客がここで降りようとする。しかし降り口は車体の前部。立錐《りっすい》の余地もない車内で、なんとか降りようとする客と橋頭堡《きょうとうほ》を守ろうとする客との間で、さらに摩擦が起きた。

しかし、これで少し余裕ができた。バスはまだ満員だったが、ぼくは手を下ろし、仲丸さんに密着していた背中を離し、ほっと一息つくことができた。なんだか、もう一時間もバスに揺られていたような気がする。

バスには慣れているはずの仲丸さんも、これには溜め息をついていた。

「ああ、苦しかった」

「汗かいたよ」

顔を見合わせ、苦笑いする。

そうして、体勢を保つだけで汲々《きゅうきゅう》としていた頭が若干の余裕を得た瞬間。ぼくは自分が、あるチャンスの前に立っていることに気がついた。

「あ……」

思わず、声さえ漏れた。

「どうかした、小鳩ちゃん?」

怪訝《けげん》そうな仲丸さんに、返事をすることも忘れる。

前後二つの、一人がけ座席。前の席には女子学生。後ろの席には老女。

この二人のうちどちらかは、さっき間違えて降車ブザーを鳴らした。……つまり、近々に降りる可能性がある。いまぼくは、前後どちらかに体を動かすことができる。降りる客の目の前にいれば、その客が席を立った瞬間、座席を獲《と》れる！

いや、ぼくは自分が座る気はない。そうではなくて、ぼくのかわいい交際相手、ウェーブへアの仲丸十希子さんに座席を提供できると思っているのだ。

この地獄の車内で、どっちつかずな態度は許されない。

女子学生か老女、どちらかの目の前に明確に仲丸さんを誘導しなければ、椅子取りゲームに勝てる見込みはない。時間もほとんど残されてはいない。おそらくチャンスは、長く見積もっても次のバス停まで。それまでにぼくは判断しなければならない。女子学生、老女。バスを降りるのはどちらか、を。

「ちょっと待っててね」

「待つって、何を？」

贈り物をするから、ちょっと待ってて。座席を贈るよ。

ぼくが思うに、これは綿密かつ迅速な観察で片がつく。

幸い、すぐ近くに路線図が貼られている。これを見れば、このバスは案外長い旅をしてきたことがわかる。だけどいま大事なのは、ここから先だろう。

檜町二丁目
←東部事務所前
←檜小学校
←檜町四丁目
←檜町図書館
←水道端
←檜町六丁目
←清碧女学院前
←南檜町二丁目

←大河橋北
←大河橋南
←パノラマ・アイランド
←パノラマ・アイランド南
←大黒門
←柾目市役所（終点）

これを見れば、さっきの降車ボタンの押し間違いがなぜ起きたのかは、明々白々。「檜町」で始まるバス停が多すぎる。何かに気を取られていたか、あるいは耳が遠かったりすれば、ボタンを押し間違えても仕方がないだろう。つまり二人のうちどちらかは、上手くすれば次の次、「檜町四丁目」で降りると思う。遅くとも「南檜町二丁目」までには。

では、どちらが降りるのか？　ボタンを押したのはどちらか？　ぼくは目を走らせる。

女子学生のヘッドフォンは小振りなもので、コードは足元のトートバッグの中に消えている。バスのエンジン音に紛れてか、それとも音量を絞っているのか、どんな音楽を聴いているのか聞こえては来ない。

注意すべきは、その本の上端からのぞいている「しおり」。ぼくの見間違いでなければそれは、仲丸さんも持っている「市内学割定期券」ではないかという気がするのだ。色がそっくりだし、「木良バス」「市内定期」の文字は読み取れる。

着ている服は、濃紺のブレザー。胸に校章が入っている。この制服は、ぼくが通う船戸高校のものではない。船戸高校の女子の制服はセーラー服だ。しかし、ではどこの学校の制服なのかということはわからない。ぼくは制服学に通暁《つうぎょう》してはいないのだ。防寒具はマフラー。灰色の、地味なものだ。

問題の降車ボタンは、彼女の座席の、背もたれの斜め上にある。もし彼女がボタンを押そうとすれば、腕を後ろにまわさなければならない。ところで降車ボタンはバスの車内至る所にある。女子学生の前方にも、ひとつボタンがあるのだ。そちらを押す場合、彼女は前に乗り出して腕を伸ばさなければならない。

一般的に言って、自分の前と後ろにボタンがある場合、押すのは前のボタンではないか？

この見解は、女子学生がボタンを押したという推論に対し若干不利に働くだろう。

老女は、車内にあっても杖にすがりついている。見たところ、体がいたんで杖がないと座ってもいられない、というほどには見えない。まだ午前中なのだけど、老女のまぶたは重そうだ。放っておけば遠からず、こっくりこっくり船を漕ぎ始めるのではないか。ふっと意識が途切れた瞬間、「檜町」の名前を聞いて、慌てて降車ボタンを押したというのもありそうなことだ。

青や黒で編まれたセーターの上から、焦げ茶のベストをはおっている。あったかそうだな、とは思う。手袋もしている。表面は革だけれど、本革かはわからない。奇妙なのは、杖を握る左手だけに手袋をしているということ。右手は左手の上に、握ったまま乗せられている。

ふと気づくと、首から何か提げている。キャッシュカードぐらいのサイズで、透明のカード入れに入っているようだ。カードの表面に書かれた文字を素早く読み取る。「敬老パス」だ。さっき、車内アナウンスでお知らせがあったことをぼくは憶えている。つまり老女の年齢は六十五歳以上なのだ。あれ、六十歳だったかな？

例の降車ボタンは、その右手を伸ばせば届く位置にある。ただ、疑問がなくもない。ブザーが鳴ってぼくがボタンの汚れが消えたことに気づくまで、十秒まではかからなかった。果たしてこの老女はその数秒で腕を引っ込め、再び杖に手を乗せられただろうか？

「小鳩ちゃん」

多少はましになったものの、まだまだ混み合うバス内で、仲丸さんが呼びかけてくる。周囲を憚《はばか》った低い声で。

視線を観察対象から外さず、ぼくは返事する。

「ん？　どうしたの」

「なんか、いいことあった？」

さあ、いいことには心当たりがない。

「別に、どうして」

「なんか嬉しそうだから」

嬉しい、か。どうなんだろう。そうかもしれない。だとしても、顔に出るんではしまりがないなあ。苦み走った顔とまではいかなくても、ちょっと口許ぐらいは引き締めておこう。

さて。

観察といっても、何を見出すための観察か意識していなければ、それはただじろじろ見ているだけのことだ。ただのプラスティックのボタンを押す前と後では、人間の外見は変わったりしないから。人差し指の腹を見せてもらえば、拭った汚れがついているかもしれないけど。

いや、厳密に考えれば、こういうこともありうる。もし車内でピスタチオナッツか何か食べていた乗客が、ボタンを押すために身を乗り出したとする。すると、これまで太腿あたりに溜まっていた殻が下に落ちる。では、この原理が今回のケースに援用できるかというと……。

できない。どちらとも太腿には殻を落としていないし、膝掛けその他もしていない。突然「人差し指を見せてくれませんか」と言うわけにもいかない。

よって、「ボタンを押したのはどちらか」とのみ考えて観察していては、答えは出ない。

ぼくは、老女と女子学生のどちらが先にバスを降りるかを知りたいのだ。では、もうすぐバスを降りる人間に表れる特徴は、何かないものだろうか。

仲丸さんに話しかける。

「マフラー、持とうか？」

車内はおしくらまんじゅうのせいで、とても暑い。外との温度差で汗さえ浮かんできそうだ。仲丸さんはマフラーを大きく緩め、首を涼しくしようとしている。

「いいよ、ありがと」

仲丸さんはそう笑った。

ところで、座席の女子学生はきっちりマフラーを巻いている。これは、もうすぐバスを降りる準備だとは考えられないだろうか？

……無理かなあ。

ぼくたちが暑いのは、大混雑の車内で押しあいへしあいしたからだ。座っているだけの女子学生がマフラーを巻いたままでも、おかしくない。

では老女の方はどうか。あの片手だけの手袋は、降りる準備ではないだろうか。

強いて考えれば、こうなる。老女は手袋を両方外していた。もうすぐ降りるバス停だと思って左手に手袋をはめ、そして降車ボタンを押した。しかるのちに過《あやま》ちに気づき、右手には手袋をしなかった。

あり得ないこととは思わない。しかし、いかにもありそうなことだとも思われない。それにしてもあの右手、白くなっているのはなぜだろう。それほど固く握りしめて、何か怒っているのかな？

では、女子学生の本はどうだろう。彼女がたったいま本を閉じ、トートバッグの中に落として背を伸ばしたとしたら、推理の余地なく「ああ、もうすぐ降りるんだな」と思えるだろう。しかし事実はその逆。彼女がいまだ読み耽《ふけ》っているのは、まだ当分降りるつもりがないからでは？

無理かなあ。まだ読んでいるという一事からは、もうすぐ降りるともまだ降りないとも、結論を引き出すことはできないか。

仲丸さんの声がする。

「ねえ。〈パノラマ・アイランド〉に着いたらさ、まず靴屋さんに行っていい？　ブーツが欲しいんだけど、学校には履いていけないし、どうしようかなあ」

ブーツが駄目なら、雪駄《せった》なんかはどうだろう。草履《ぞうり》と区別がつけばいいけど。

降りる者はどうするか。手まわりの品を片づける。帽子をかぶる。そして人混みをかき分けバスを降り、路上に立つ。それだけだろうか。自分がもし、次のバス停で降りるとしたら、何をするだろうか。

時間は残されていない。事ここに至って、推理は神速を尊《たっと》ぶ。

ぼくは考え、考え、考えた。降りる者はどうするか?

降りる者は。

考えながら無意識に、ポケットに手を入れる。

……あ、そうか。

ぼくは快哉と悪罵《あくば》を、同時にがなり立てたい気分に駆られた。なぜ気づかなかったのだろう。自分の馬鹿さ加減は不思議だった。普通のはにかみと普通の会話と、映画と買い物と作り笑いで脳が錆びてしまったとしか思えない。もちろん、小銭だ。すべてを解決するのは小銭だ。

他ならぬぼくのポケットが、ヒントを提示している。市営バスならば先払い。しかし木良バスは違う。

運賃は、降りる際に払う。つまり木良バスを降りる者は、小銭を摑む。

老女の右手の中身は、透視したようにはっきりわかる。あの固く握られた手には、もちろん、小銭が握られているに違いない。それ以外にバスの中で、手袋を片手だけ外してでも保持しなければならないものなど、ない。

要するにこういうことだ。両手に手袋をしている。財布を出す。手袋のままでは小銭を取り出せないので、右手の手袋を外す。小銭を摑む。そして、遠からぬ未来にそれを支払口に放り込むことがわかっているので、あの老女はそのまま手袋をつけずにいるのだ！

結論を導き出したことに、ぼくは満足することはできなかった。小鳩常悟朗ともあろう者が、この程度の思考に時間を取られすぎた。こんなのは、一目瞭然で看取《かんしゅ》しなければならない。

それでもまあ、遅すぎるということはない。ええと、なんだっけ、何のために降りる者を当てようとしたんだったかな。

ああそうか、座席だったかな。


しかし。

いったんあたためられたぼくの観察力は、実にぎりぎりのところで、敗北を防いでくれた。ぼくは雷に打たれたように動きを止めた。

その瞬間のためらいを、ぼくは自分自身、なかなか説明できないでいた。なぜか、「これだけでは足りない。見落とした要素がある」と感じてしまったのだ。何を？

老女を見る。杖。手袋をつけた左手。素手の右手。そして首から提げているのはなんだったか。

平日昼間のバス料金無料を約束する、「敬老パス」。

これだ。ぼくの観察が捉えていたのは、間違いなくこのパスだ。

危ないところだった。老女は敬老パスを持っている。だから彼女は、バスを降りるときに金を払うことなど、ない。

「あ、いま何か言った？」

仲丸さんが訊いてくる。ぼくは笑顔で、笑顔だけでそれに答える。何も言っていないよ、と。では、ぼくの観察はすべて無駄だったのだろうか？

ぼくはバスを降りるとき、ポケットの小銭から二百十円の運賃を払う。しかし老女は、敬老パスを見せるだけ。それでは、彼女が降りるのが次のバス停か、それとも終点か、知る術《すべ》はぜんぜんなくなってしまう。女子学生にしてもそうだ。あのいまいましい本に挟んであるのが、ぼくの見た通り市内学割定期券だったとするなら、女子学生もまたそれを見せるだけでバスを降りてしまう……。

しかし。

それはおかしくはないだろうか。おかしいんじゃないか？

市内学割定期券を持っている者は、それを見せてバスを降りる。敬老パスを持っている者は、それを見せてバスを降りる。それはおかしくない。敬老パスの効果については、さっき車内アナウンスがあった。市内学割定期券だって、ぼくは仲丸さんがそれを使うところを見ているのだ。ぜんぜん、おかしくない。

そこに異状がないなら、別のところがおかしいのだ。

ぼくは高校に入ってから、幾度かこういうことを経験した。ずぼらな友人がココアを作ったとき、ココアやカップに問題はなかった。問題はその周辺にあった。同じずぼらが暗号を残したときもそうだった。結論は外側にあった。思考は、集中させてはならない。瞳は外縁部こそが暗闇を見通すのだ。

「……わかった。やっと」

鉄則を思い出しさえすれば、自分がどこに違和感を覚えたか突き止めるのは、難しいことではなかった。

ぼくは体を動かす。それとなく仲丸さんの袖を引く。

「こっちにおいでよ」

「え？　なんで？」

軽く抗議の声を上げたものの、混雑するバスの中で数十センチ移動するのは、別に不審なことではない。仲丸さんはごく自然に、初めからそこに立つ予定だったのだというように、女子学生の横に立った。

バス停からバス停までの思考。それを、仲丸さんはわかってくれるだろうか。

やはり答えは、観察によってもたらされた。ぼくのこの手の直感は、まず外れない。ただ、老女と女子学生を観察していても、何も読み取ることはできない。観察力もまた、スパンを広く取らねばならなかった。

仲丸さんの行動を、ぼくは最初から、おかしいと思うべきだったのだ。

彼女は市内学割定期券を持っている。それを使えば、木良バスは彼女をどこまでも運んでくれる。

そう思ったのが、そもそも間違いだった。……もしそうであれば、仲丸さんはあんなことをする必要はなかったはずなのだ。

バスに乗るやいなや、両替機で五百円玉をくずす必要など。

降りるとき、小銭で運賃を払わなければならない。だからこそ、仲丸さんは両替した。では市内学割定期券はその力を失ったのか？

そうではない。市内学割定期券は有効である。「市内」において。

木良バスの車体にも明記してあった。料金は一律二百十円。正確には、「市内一律」二百十円。

しかし、ぼくは最初から知っていたはずだ。〈パノラマ・アイランド〉は、市内ではない。川向こうの、隣の市に建つショッピングモールだと。

仲丸さんは、両替をした。バスで市境を跨《また》ぐときは、定期券だけでは駄目だと知っていたから。事情は老女も同じだった。敬老パスもまた、木良市内でのみ有効だ。さっき、そうアナウンスしていた。

つまり小銭を握る老女は、最低でも木良市を出るまでは、バスに乗っている。ならば消去法。間違えて降車ボタンを押したのは、檜町のどこかで降りるのは、女子学生の方となる。

こうした思考の過程を、仲丸さんはわかってくれるだろうか。

声に出さずに呟いてみる。

「無理だよね」

だって仲丸さんにとって、〈パノラマ・アイランド〉に行くために小銭がいるということは、自明だったんだから。知識の差を知恵で埋めるのは、いつもながら大変なことだなあ。

バスが止まり、運転手が言う。

「はい、檜町図書館です」

ブザーは誰かが鳴らしていた。女子学生は名残《なご》惜《り》しそうに本を閉じ、人波をかき分けて前部ドアに向かう。彼女が定期券を見せてバスを降りるときには、仲丸さんの目の前に空席ができていた。

天から降ってきたような空席を見つめ、仲丸さんは花が咲くように笑ってこう言った。

「あ、ラッキー」

チャンスを作るための行動をしないやつを、のろまという。

チャンスを生かせないやつは、要するに間抜けなのだ。

するとおれはどうやら、間抜けに近いらしかった。手の中に転がり込んできた八分の一ページ。そこには何を書いてもいい。おれが待ち望んでいたチャンスに違いない。しかし。

3

新年早々の編集会議を明日に控え、放課後の教室で、おれは文字通り頭を抱えていた。年が改まり冬休みが終わってなお、そこに書くことが見つからない。机の上には白紙のノート。それを挟んで、氷谷が曇った顔をしている。

「何もないわけじゃないだろう？　とりあえず言ってみなよ。案外、打開策になるかもしれないし」

こいつは冬休みの前から、おれの「コラム」の相談に乗ってくれているのだ。その友達甲斐に応えられないのは、本当に情けないことだ。黙っていても仕方がない。おれは、自分でも駄目だとわかっていることを、ぽつりぽつりと話した。

「クリスマスにビリヤード場にいたカップルが、補導されたらしい。男の方が、この学校の生徒だった。停学とかなんとかいうことには、ならなかったみたいだ」

「へえ」

「〈パノラマ・アイランド〉で、電子レンジを万引きしたやつがいた。捕まらなかったから誰かはわからないが、やったのは高校生じゃないかって聞いた」

「そうなんだ」

「E組のやつが事故に遭った。自転車に乗っていて、右折バイクに巻き込まれたんだ。足の骨を折って、入院してる」

「そんなことが」

氷谷は相槌を打つだけ打って、あとは黙り込んだ。中途半端な励ましよりは、確かに、沈黙の方がありがたい気分だった。

夜遊びの補導だとか交通事故だとか、うんざりするようなことを書いてもなんにもならない。堂島部長は何も言わないだろうが、門地あたりがこの程度かと笑うのが、目に見えるようだ。最初の一回は、力のあるやつで引っ張らないと駄目に決まっている。

電子レンジの万引きは、少し面白い。どうやったのかを詳しく調べて書けば、意外と楽しい読み物になるかもしれない。しかしそれを、『月報船戸』に載せるのか？ それに、誘拐の話を載せるつもりでいたのに、代案が万引きではあまりに落差がありすぎないか。世の中に立つ波風が小さいことを、おれは心底から恨んだ。

「いろんな人に、訊いてまわったりはしたんだろ。何か使えそうな話はなかった?」

おれは曖昧に頷く。

「まあ……。少しはな。塾の連中とかに」

「あの先輩には訊いた?」

どの先輩のことか、すぐにはわからなかった。堂島部長のことか、門地のことか。どちらにしても、どのツラ下げてネタを乞えるというのか。

しかし氷谷がほのめかしたのは、そのどちらでもなかった。人が困り果てているというのに、氷谷はからかうような笑いを浮かべていた。

「ほら、あの後輩みたいな、かわいらしい先輩のことさ」

小佐内のことだ。

軽々しく、かわいらしいなどと言ってほしくない。またボディーブローを打ってやろうかと思ったが、二人とも座っていたのでできなかった。代わりに、せめてもの抗議にと鼻を鳴らす。

それから、いちおう質問にも答えた。

「いや、小佐内には話してないんだ」

「『小佐内先輩』だろ」

「黙れ。……なんというか、無駄だろ、どう考えても。世間が広そうなタイプに見えるか?」

「僕は知らないけど。まあでも、違うんだろうな」

あの人見知りする小佐内に、何か事件を知らないかと訊くなんて、馬鹿げているの一言だ。どこそこのケーキが値上げしたとか、そんな答えしか返ってこないに決まっている。

それに……。

氷谷の察しの良さは、侮《あなど》れない。いまいましく笑って、

「それに、相談なんかしたくないか。いいとこ見せたいだろうし」

今度こそおれはこぶしを突き出し、氷谷のひたいを打った。ごっ、と、思ったより痛そうな音がした。

当たっていた。

見栄かもしれない、あまり恰好のいいことではないとわかってはいる。けれどおれはどうしても、小佐内には黙ってこのコラムを書き上げたい。応援すると言ってくれた彼女に、こんなものができたとぶっきらぼうに手渡したいのだ。

しかしこのまま何も出てこないのでは、ぶっきらぼうどころか、顔向けもできないことになりかねない。

こぶしを受けて、氷谷も軽口はやめた。

「ネタがないのは、なにも瓜野のせいじゃないだろ。新聞部には、他にも部員がいるんだし、出番を先に延ばしてもらったらどうかな」

おれは眉を寄せた。

「……それもなあ」

「良さそうな話があれば、そのとき書かせてくれって言えばいいじゃないか」

少し悩んだが、ここで氷谷に隠し事をするのも、なんだかあまりに不誠実な気がした。率直に言おうと、腹をくくる。

「実は、それも考えてた」

「やっぱり」

「ただ」

と、奥歯を嚙む。

「それにしたって同じことだ。コラムの一番手は五日市ってやつなんだが、二番手はおれだってのはもう、既定路線になってる。ここで手を挙げなかったら、『やっぱり駄目だったな』と言われるのは目に見えてる。それに」

言い淀んで、

「……それはチャンスに背を向けることのような気がする。高校は三年間だからな」

氷谷は少しの間、黙っていた。天井を睨むようにして、小さく溜め息をつくと、困ったやつだと言いたげな、あの笑みを浮かべた。

「時間は限られてる、幸運の女神には前髪しかない、か。僕もそういう心づもりでいた方がいいのかな」

「人それぞれだろ。おれにはあんまり取り柄がないから、焦ってるのかもしれん」

「言うほどかなあ。わかんないけどさ」

呟くと、氷谷は自分の鞄に手を伸ばした。帰るつもりかと思ったが、どうやら違う。鞄を開けると、黒いファイルを取り出した。

「下手に手を貸すと、瓜野のプライドを傷つけるかと思ったけど。なんだかずいぶん覚悟決まってるみたいだし、余計な気はまわさないことにするよ」

ファイルは、頼りないほど薄かった。しかし、本当に大事なことはたいていの場合、一枚のメモ用紙でも伝えられることを、おれは知っている。差し出されたそれが、何か禁書でもあるかのように、おれはおずおずと受け取った。

「これは……？」

「ま、使えるかもしれないと思ってね」

ゆっくり開く。

（十一月十日　読売新聞　地域面）
木良市で不審火
十日午前零時十五分頃、木良市西森二丁目で、ごみなどが燃えるぼやがあった。西森第二児童公園に置かれていたごみ箱が燃やされ、周囲約一平方メートルを焼いた。現場に火の気がないことから、木良署では不審火の疑いがあるとみて調べている。

（十一月十日　毎日新聞　地域面）
木良市西森でぼや
十日午前零時十五分頃、木良市西森二丁目の西森第二児童公園でごみ箱が燃えているのを、通りがかった男性が見つけ一一九番通報した。約一平方メートルが焼けた。けが人はなかった。木良署では不審火とみている。

（十二月八日　朝日新聞　地域面）
木良市小指で不審火
八日午前一時頃、木良市小指で廃材が燃えるぼやがあった。木良西署は不審火の疑いもあるとみて捜査している。
調べでは、同市小指一丁目の資材置き場から出火、廃材一本が焼けた。住民や消防が消火し、けが人はなかった。

新聞のスクラップだった。新聞のコピーの、切り抜きだ。

思わず見入っていると、氷谷が常ならぬ早口で言った。

「ひとつ、付け加えることがある。この船戸高校の園芸部は、葉前《はまえ》に畑を借りているんだけど、そこで去年の十月に刈った草が焼かれてる」

そして、氷谷は用は済んだとばかりに立ち上がる。

「使えそうなら使ってよ。ただ、どうなるかわからないからね。使わなくても、どうしてだなんて言わないよ」

コートを着込んで教室を出て行く後ろ姿に、おれは何も言わなかった。

……困ったことだ。

これで小佐内だけでなく、氷谷にもいいところを見せなきゃならなくなった。


これは連続放火だ。

連続放火は事件として充分に重大なものであり、しかも船戸高校も被害に遭っている可能性がある。間違いなく、使えるネタだった。

調べに当たって、おれは二つの方針を決めた。

ひとつは、小佐内には知られないようにすること。もうひとつは、行き詰まったら氷谷の力を借りることは、ためらわないこと。

小佐内の方は言うまでもなく、意地というやつ。氷谷の方はもう少し複雑だ。おれ一人の力で記事にできればそれに越したことはないが、これがもともと氷谷が教えてくれたことだというのも、忘れるわけにはいかない。つまり、全部一人でやっては、ネタだけ横取りしたようでどこか気が引けるのだ。氷谷は新聞部員ではないので、余計な気遣いだとはわかっているが。

新年一月の編集会議。ネタを説明するおれがいまひとつ胸を張れなかったのも、そこがひっかかっていたからだと思う。虎の子のページ、威風堂々とぶんどりたかったが仕方がない。

会議そのものは、予定調和のうちに進んだ。つまり、まずはメインの記事をどうするか決める。決めるといっても、二月号は最初から「センター試験終了、受験本番へ。諸先輩からの金言特集」に決まっている。そして、いかにも思い出したように、堂島部長が持ち出した。

「ところで、二月号のコラムは誰が書く」

「おれが書きます」

間髪を容れず、名乗りを上げる。

「瓜野か。何を書く」

おれは、いま市内で起きている連続放火について、新聞記事を交えて説明した。部長はいつもの仏頂面で聞いていたが、門地は馬鹿馬鹿しいとばかりに嘲笑《ちょうしょう》を作っていた。しかし部長が聞いていれば、門地に邪魔はできない。

「そういうわけで、火の用心を訴える意味でも、これを取り上げたいと思います」

そう説明を終えると、堂島部長はおもむろに頷いた。

「そうか。他に書きたいやつは。いないか。じゃあ、瓜野に任せる」

先例があれば、何事も信じられないほどあっさり通る。五日市が開き、氷谷が均《なら》した道に、おれは何の苦もなく踏み出した。

実は内心、岸が書きたがるのではと思っていた。十二月の会議で五日市がコラム新設を持ち出したとき、岸がそれに賛成したからだ。やる気のなさが顔にも出ているような岸が五日市を後押ししたのは、自分も何か書きたいからではと疑っていたのだ。しかし会議の間、岸は堂島部長の目を盗んで携帯電話をいじっているばかりで、何も言い出しはしなかった。

これでスペースは貰った、ここからが本番だと意気込むおれに、しかし堂島部長が水を差す。

「ただ、それだけのネタだと一人で調べるのは大変だろう。どうだ五日市、手伝ってやれるか」

突然名指しされて、五日市は目を丸くした。え、などと声を漏らしてもいる。

もっともそれは、おれも同じだ。一人で、それが無理なら氷谷と二人でやろうと思っていたのに、誰か背負い込まされるなんて思っていなかった。

「できそうか」

部長の険しい眼光に射すくめられ、五日市はまごまごするばかりでろくな返事もできない。

「でも僕は、先月書きましたし……」

「お前に書けとは言ってない。瓜野一人じゃ苦労するだろうから、手を貸してやれないかと言ってるんだ」

「でも僕は、先月も……」

明らかに、気乗りしていない。ちらと見ると、岸は自分にお鉢がまわってくるのを恐れるように目を伏せ、石にでも化けているよう。

どっちにしても、余計なお世話だ。おれは言った。

「部長。おれ、一人でできます」

「瓜野もそう言ってるし……」

五日市の情けない声がついてくる。

「やるって言ってるんだ。やらせればいいさ」

突き放すように、門地が口を挟む。しかし今回に限っては、それがありがたかった。一人でやった方が幾分かマシだし、それで無理なら氷谷がいる。五日市なんかに用はなかった。

五日市の煮えきらない態度に、堂島部長も無理は通せない。ちらりと岸を見ることは見たが、どう考えても五日市以上に、引き受けそうもない。

「しかしな、一人じゃあ」

それでも部長は、おれに任せようとはしないのだ。つい苛立った。

「別に、誰もいらないって言ってるじゃないですか。そんなに信用できないなら、やめろと言われればいつだって退部しますよ」

すると部長は溜め息をついた。

「それだ。その気性だよ」

わずかに身を乗り出して、

「お前が一人でやりたがる気持ちは、わかる。できるだろうとも思ってる。その点は信用してる。

だがな、お前は少し、逸《はや》りすぎる。ここまで来て記事を書くなとは言わん。ただ、お前のネタだとどうしても、学外の人たちに話を聞くことになる。はっきり言うぞ。ブレーキ役がいないと、何か新聞部や、船戸高校の面子《メンツ》を潰すようなことをやらかさないか心配なんだ」

「面子！　そんなこと……」

「なら訊くが、資材置き場でも不審火があったと言ったな。お前、その資材置き場に入らずにいられるか？」

馬鹿にするな、と言いたかった。

……しかしおれも、そこまで売り言葉に買い言葉で応じるほど、のぼせ上がっていたわけではない。言われて考える。そこが放火の現場だとわかっていて、おれは資材置き場に入らないだろうか。

たぶん現場には、たいした柵《さく》もないだろう。有刺鉄線でも張ってあれば躊躇《ちゆうちょ》するかもしれないが、仮にただの空き地のような場所だったら。

　言葉では認めないが、答えは明らかだった。おれはまず間違いなく、入るだろう。

「そのとき、誰だ、何してると言われるだけで、新聞部の起こした事件になるということがわかるか？　俺がその場にいたら、止められる。入るなら入るで、所有者の許可を貰いに行く。お前にそういう細かいブレーキが利くか……」

　部長の他に、口を挟む者はいなかった。岸は最初から聞いていなかったし、五日市はぽかんとしていた。

　門地は、何を言っているのかわからないというように目を見開き、堂島部長を見ていた。

　部長は考え、考え、ようやくのことで言う。

「……だがまあ、言った以上、もう任せるしかないな。瓜野、慎重にやれよ。そしてもし誰かに何か訊かれたら、船高新聞部で防火特集をやると言え。それでもトラブルになったら、こじれる前に俺に電話しろ。わかったな」

　その日、おれは二つのことを知った。ひとつは自分が、わりと観察されていたのだということ。

　そしてもうひとつは、堂島先輩はなるほど部長らしいのだということだ。

まずは、園芸部から始めるのがスジだろう。

◇

正直に言って、この学校に園芸部があることさえ知らなかった。船高はそれほど部活動が盛んな学校ではない。同じ文化系の新聞部に属しているおれが言うのもなんだが、そんなマイナーな部活に入っているのはどんな暗いやつだろうと思っていた。

ところが調べてみると、クラスに園芸部のやつがいた。ろくでもない思い込みは、当たりはしなかった。文武両道どちらもまあ優秀と言って言いすぎでない、クラスでも目立つ方の女子が園芸部員だった。

ホームルームが終わる。生徒が次々と席を立つ。目当ての女子も鞄を摑んで、さっさと出て行きそうだった。慌てて近寄って、

「里村《さとむら》さん、ちょっと時間いいかな。新聞部員として聞きたい話があるんだけど」

そんなふうに言葉をかける。

園芸部員の里村は、決して気さくなやつではない。むしろキツいタイプの女子で、文化祭では役に立たない男子をさっさと追い出したりしていた。少なからず気が引けたが、話しかけてみれば、里村は別に迷惑そうな顔もしなかった。

「ん、ツメノ？　話って？」

「ひでえな。ツメじゃねえよ、ウリだよ」

「ごめんごめん」

と笑っている。「爪」と「瓜」はそりゃ似ているが、里村だっておれの名前を文字で憶えているわけじゃないだろう。要するに冗談を言われたのだ。

やりとりを聞きつけて、氷谷が近寄ってきた。

「里村さんが悪いんじゃない。瓜野の名前が珍しいのが悪いんだよ」

こいつも笑っている。もっとも、たいてい笑っているような男だ。

「あ、そうだ、瓜野ね。新聞部だったんだ、へえ。……で、何を聞きたいの」

氷谷が来ると里村の視線はそっちに向いて、おれの方には戻ってこない。横から訊くような形になる。

「里村って、園芸部なんだよな」

「そうだよ」

氷谷が口を挟む。

「何かスポーツもやってるんだろ？　足、速いもんな」

「誰が足太いって？」

そうふざけて、里村は手を振り上げてみせる。氷谷が来るだけで場が和み、話が弾む。それ

は生きていく上で、ものすごく得なことなんだろうとは思うが……。いまは、

「邪魔するなよ」

「ああ、悪い悪い。引っ込んでるよ」

氷谷は実際、半歩下がった。

改めて、

「園芸部であったこと聞きたいんだけど、いいかな」

「ん、いいよ。何やってるかわかんないよね、新聞部と同じぐらい」

新聞部は毎月、全校生徒一人一人に八ページ配っているんだが。まあ、話のとっかかりにはなる。

「実際何やってんの」

「花、作ってるよ。昇降口前のプランターとか、園芸部で作った花だし」

「え？　あれ全部か。結構たくさんあったな」

「全部……。だと思う。ごめん、その辺は二年生の人に聞いて」

いまの話を、手元のノートに簡単に書きつける。載せるつもりはないけれど、なんとなくそうするのがマナーのような気がした。

そろそろ本題に。

「で、その花って、葉前で作ってるんだろ」

　すると里村はつまらなそうな顔になって、

「なんだ、知ってるじゃん」

「知ってるのは、葉前に畑を借りてるってことだけだよ」

「畑じゃなくて、ビニールハウスなんだけどね。すみっこをちょっとだけ借りて、使わせてもらってる」

　すると、燃えたのはビニールハウスなのか？　聞いた話と少し違う……。そんなことを思っていたら、里村はおれの表情を盗み見て、呟いた。

「ああ、そうすると、あんたが訊きたいのはあの火事のことか」

　一瞬、どうして見抜かれたのかと慌てかけたが、すぐに落ち着く。おれは園芸部のことを何も知らず、それでいて葉前の借地のことは知っている。不審火のことを訊きたがっていると思われて、当然かもしれない。

　察しがいいのはおれも助かる。頷いて、

「そうなんだ、話を……」

と言いかけると、語気鋭く止められた。里村の眉がつり上がっている。

「その前に！　ひとつ、言っておくことがあるからね。あれ？　二つ、じゃなくて三つかな」

　なにも、最初に数を決める必要はないだろう。

「まあいいや。まず、燃えたのは園芸部で借りてる畑じゃないよ。ビニールハウスを貸してくれてる、親切な田中さんの空き地。で、新聞部で記事にするなら、何も言わない。あれは生徒指導部にめちゃくちゃ怒られて、口止めされてるから。そもそもあんた、その話、誰に聞いたの？」

おれは迷わず、斜め後ろを指さした。

「こいつ」

「ちょ、瓜野、ニュースソースを秘匿《ひとく》するぐらいのジャーナリスト根性があってもいいんじゃないか？」

黙って聞いていた氷谷は、突然降りかかった火の粉に慌てた声を上げる。別におれはジャーナリストじゃないしなあ。

が、里村はたちまち頬を緩めた。

「なんだ、氷谷くんか」

本当に氷谷は、これからの人生もいくらでも得をしていくのだろう。矛先《ほこさき》が鈍ったところで、質問に答えておく。

「記事にするなって言うなら、しないよ。本命は別にあるから。ただ、教えてほしいな。なんで山田さんの空き地の火事で、お前らが怒られるんだ」

「田中さんね」

向き直ると、里村は溜め息をついた。

「怒られた理由かあ。ふざけた話よ。

ビニールハウスってそれなりに維持費がかかるから、ただで借りるのも悪いと思って、園芸部で空き地の草刈りを手伝ったの。最初は草刈りだけだっていうから、鎌なんかは田中さんに借りるつもりだったんだけど、なんか途中から話が変わってさ。空き地にJAの看板が立ってるけど、いらないからついでに片づけてって言ってきたのね。

これがすっごく間抜けでさ。でっかい木の看板に、習字みたいな字で『野菜を食べよう』って書いてあるだけなの。そりゃまあ、いらんわなって納得したわ」

……確かに、「地元の野菜を食べよう」とか「国産野菜を食べよう」ならわからなくもないが、ただ食べようと言われても困る。

「で、金槌と軍手だけ学校から持って行ったんだ。一班が看板を解体して、一班が草刈りして。看板の方が早く終わったけど、鎌が足りなくてちょっと気まずかったな。

全部で二時間ぐらいだったかな。刈った草と壊した看板はどうしたらいいって田中さんに訊いたら、とりあえず積んどいてって言われてさ。積んでおいたら、一週間ぐらい経って、焼けたっていうのね。

田中さんは何も言わなかったんだけど、JAのおっさんが『船高園芸部の始末が悪いからうちの看板に火をつけられた』って怒鳴り込んだらしくて、うちの生徒指導部がまたそれを真に受けちゃってさ。うちの看板もなにも、もうバラバラだったっての。しかも後で聞いたら草がちょっと燃えたぐらいで、看板が燃えたわけじゃなかったらしいのね。かなり怒られたんだけど、結局、何を怒られたのかよくわかんなかった」

「そりゃ、ひどい話だ」

即座に、氷谷がそう声を上げる。

「でしょ？　やってらんないよね」

里村は氷谷の肩を叩かんばかり。一方おれは、ありそうな話だとしか思っていなかった。同情しておくべきだったのか。

いまからでは嘘っぽいと思い、質問を進める。

「それって、いつの話？」

「いつって言われても、だいぶ前。正確な日にち、知りたいの？」

「できれば」

里村は少し考えて、「まだ、あったかな」と呟きながら携帯電話を取り出した。あまり使わないのか、たどたどしい指使いでボタンを押していく。

「焼けたとこをね、たしか撮ったんだ。……ああ、これこれ」

と言いはするが、画面は見せてくれない。

ただのクラスメートの男子に、携帯電話を見せる気にはならないのだろう。その気持ちはわかる。おれもこの間、キャラメルムースを頬につけた小佐内を待ち受け画面にしかけて、他人に見られたらと思ってその場でやめた。

「えっとね。十月の十五日。これが月曜日だから、土日の前で、十二日のことかな」

なるほど。メモする。

「火は、どうしてついたって？」

「なんか放火みたいって聞いたけどね。真夜中にくすぶって、あれっと思ったらそのうち自然に消えたって。木でできた看板はともかく、草って水分多いからね。燃えにくいんだ」

ということは、放火だということは、最初からわかっていたのか。

話を聞いた限りでは、生徒指導部の口止めというのも、別に意味があってしているわけではないだろう。叱ってみたついでか、でなければ「とりあえず余計なことは言うな」という程度のことじゃないだろうか。

もうひとつ、気になったことを。

「で、そのビニールハウスとか空き地とか、船高と関係してるって見ればわかるのか？」

「わかんないでしょ。うちは看板出してるわけじゃないし」

つまり、別に船高を狙っての不審火というわけではない。せっかくのコラム、なんとか船高と結びつけられればと思ったのに残念だ。

礼を言って話を終わらせようと思ったところで、里村が声を上げた。

「あ、そうそう。もうひとつ。これは生徒指導部も知らないんだけど」

いい情報の気配。ペンを持ち直す手にも、力がこもる。そんなおれを見て、里村は心なしか胸を張った。

「あの日、なくなったものがあるのよね」

「なくなったもの？　それは」

「うん。学校から持って行った金槌」

金槌、と……。

いちおうメモする。が、内心ではがっくり来ていた。連続放火と金槌の紛失では、話のレベルが違う。

里村にとっては、そうでもないらしい。

「あれって学校の備品だからさ。なくなっちゃうと困らなくもないのよね。結局、みんなでお金出し合って弁償したけど、ほんと腹立つよね」

「一人あたりいくらだったんだ」

首をかしげて、

「……三百円、だったかな」

どう考えても話のレベルが違う。

次の土曜日、おれは自転車を駆って街に出た。

現場を見に行く、それだけのつもりだった。だから一人でも充分だったのだが、おれは氷谷に一緒に来てくれと頼んだ。たぶん、堂島部長の警告が頭に残っていたからだと思う。いまいましいことだが。

◇

わかっている放火現場は、十月「葉前」、十一月「西森」、十二月「小指《こざし》」。この三つの地区は木良市の西方に固まっているとはいえ、実際はかなりの広範囲にわたる。地区同士が隣り合っているわけでもない。葉前の北の端から小指の南の端まで歩こうと思えば、一日仕事になるだろう。自転車を使うとはいえ、かなり移動する。あらかじめそれがわかっていて、文句のひとつも言わずについてきてくれた氷谷に、おれは言葉に出さずに感謝した。

いまは一月。木良市には滅多に雪は降らないが、それでも正月前後に少し降ったのが、道端に小さく固まってとけ残っている。家を出たのは九時。路面が凍結していたらにっちもさっちもいかないところだったが、よく晴れて、絶好の取材日和だった。

氷谷とは船戸高校で待ち合わせた。約束よりも十分ほど早く着いたが、もう校門の前に立っていた。まず言われた。

「寒いな」

氷谷はコートを、おれはジャンパーを着ている。二人とも、マフラーと手袋をつけている。それでも一月の冷気は、完全には防ぎきれない。

「まあ、動いていればそのうちあたたまってくるさ」

そんな気休めを言うのが精一杯だった。季節が季節なので、日が昇っても気温はほとんど上がらない。

「じゃ、まずは葉前か」

そう言ってペダルを踏もうとするおれを、氷谷が止める。

「待った。知らないのか？」

「何を」

「また放火があったみたいだよ」

「……ほんとか」

思わず、自転車から降りてしまった。氷谷は珍しく、少し困ったような顔をしている。

「本当だよ。ただ、今日はたぶん行けないね。茜辺《あかねべ》で放置自転車に火がつけられたっていうんだけど、細かい場所がわからないんだ」

「いつの話だ」

「今朝の朝刊に記事が出たんだから、昨日じゃないかな。ごめん、持って来ればよかったんだけど忘れちゃって」

昨日、つまり一月十一日の金曜日か。

おれは下唇を嚙んだ。なんてこった、と思っていた。

うちでも新聞は取っているが、細かくは見ていなかった。今後ニュースには、少なくともこの街での放火のニュースには、もっと敏感にならないといけない。

「どうする?」

朝刊なら、どこかで手に入れることもできる。しかし氷谷の言う通りなら、それを見たからといって今日何かを見に行けるわけではないだろう。

「……行こう。予定通りだ、葉前から」

「やっぱりそれしかないか」

氷谷は頷いて、自転車に跨《また》がった。

速く走ればそれだけ風が寒いので、おれも氷谷もあまりスピードを出そうとはしなかった。おれが船高周辺に来るのは、登校するときだけ。見慣れた景色なのに、休日なので船高生徒の姿はまったくない。それがやけに、新鮮に見えてしまう。

バイパス道路に入る。歩道が広く、ガードレールも見るからに頑丈だ。自転車通行可の歩道という道路標識が出ている。

ゆっくり漕いでも、葉前の事件現場にはすぐに着いた。園芸部の連中が普段歩いて移動できる距離なのだから、当たり前だけれど。

葉前には真新しい道路が通っているが、まだ人の流れまではついてきていない。道の両側はうら寂《さび》しく、農地でなければ荒涼とした空き地が広がるだけ。ビニールハウスも、いくつか見えた。

前にも後ろにも、歩道に人の姿はない。ゆっくりと自転車の速度を落とし、止める。

「ここなのか」

と、氷谷が訊いてくる。

「待て、確かめる」

携帯電話を出して、画像を呼び出す。似たような景色の中で、どれが問題の空き地なのかわからない。

「里村から現場の画像を送ってもらったんだ。見ればわかると言ってたけどな」

そう説明すると、氷谷は人の悪い笑みを浮かべた。

「上手いなあ、瓜野。本当に上手いよ、感心する。僕もそのぐらい活動的だったらなあ」

「何のことだ」

「それが送られてきたってことは、里村さんとアドレス交換したんだろ。上手くやるなあって思ってさ。美人だよね、里村さん」

下らないことを言う。こいつなら、にこりとして「アドレス教えて」と言うだけで、メールアドレスだろうが電話番号だろうがなんでも教えてもらえるだろうに。

ふてくされて言い返す。

「あいつは怖いからな。本当は近寄りたくない相手だよ」

すると氷谷は、やけに大きく頷いた。

「まあ、ねえ。それはわかる。小佐内先輩は、怖くはなさそうだからね」

いつまでも軽口につきあってもいられない。携帯電話の中の写真と、目の前の風景を比べてみる。

携帯電話をかざし、体を右にひねり、左にねじる。写真の景色を探すのだが、ついつい何度も、首をかしげてしまう。

「……どうした？」

「いや、たぶんここなんだが」

どうやら自転車を止めた場所が、たまたま目的のビニールハウスの前だったようだ。これは幸運なことだったが、すぐにピンと来なかったのには訳がある。その訳を、氷谷もすぐに悟ったようだ。

「ここなの？　それにしちゃあ……。何も残ってないね」

ビニールハウスの中では、いまは何も栽培されていないらしい。透かし見ても、何かが繁っている様子はない。

一方、その隣には確かに、空き地がある。雪のかけらが少しだけ残っていて、道路から飛んでくる煤煙のせいか汚らしく黒ずんでいる。冬のど真ん中、雑草は枯れてしまって空気は乾燥している。いま火をつければ、さぞよく燃えるだろう。

三ヶ月前の放火を思わせる痕跡は何もない。

里村によれば、葉前の放火はすぐに自然に消えたらしい。それでも小さな焦げ跡ぐらいはと思っていたのに。いちおう携帯電話を構え、周辺を撮影し始める。近いうちになんとかデジタルカメラを用意しないと、新聞部員としては恰好がつかない。

うろうろと現場を歩き、適当に撮っていくが、明らかに意味がない。もう少し何か、痕跡らしいものはないか……。

そのうち、氷谷が突然声をかけてきた。

「瓜野。これ、もしかして関係あるかな」

「何か見つかったのか?」

小走りに駆け寄る。氷谷が指しているのは、歩道に立つ道路標識だった。制限速度五十キロを示している。

その中ごろに何か傷跡がある。硬いものをぶつけたようにへこんで、塗料も取れている。バイクでこすった、という感じでもない。

「……どうかな」

そう言われても、いまの時点ではなんとも言えない。確かにそれほど古くはなさそうな跡だけど、三ヶ月前の事件と結びつけられるかどうか。いちおう撮っておく。

それからも、おれはしつこく粘る。氷谷は文句は言わなかったが、不思議そうに訊いてきた。

「火の跡が残っていないんだから、ここはただの空き地だよ。何してるんだよ」

「ああ、ちょっと思うことがあってな。後で話すよ」

ただ、やはり寒い。未練はあるがいい加減で切り上げて、次の目的地、西森へと自転車を漕ぎ出す。

後で話すと言ったことだが、歩道と車道を行き来して西森町へと行く間、どうせ信号ばかり見て暇なので、ぽつぽつ思うところを話すことにした。

「葉前の現場、細かく撮る必要があったんだ」

「というと?」

冬の土曜の午前中で、歩道には人の姿もまばら。おれと氷谷は、自転車を横に並べる。

「連続コラムの一回目を考えているんだ。ただ『連続不審火が起きてます』だけじゃ、芸がない。せっかくお前から貰ったネタだからな、もっと大きいことができないかと思ってる」

「まあ、瓜野が大きいことを狙ってるのはわかってたけどね」

氷谷は小さく笑って、

「具体的には?」

道の先だけを見て、おれは答えた。

「この放火に、何か共通点がないか探してみる」

「……なるほど」

頷いた氷谷だったが、口許に少し、皮肉な笑みを作った。

「そんなものがあれば、いいけどね」

ないかもしれない。いや、ない方が自然なのかもしれない。火をつけてまわる異常者に、何か一貫した趣旨があるのかは疑わしい。もしかしたら完全なランダムかもしれない。考えるだけ無駄だという可能性はある。

しかし、やってみる価値はある。

「もし、だぞ。もしその共通点をおれが見つけ出せたら、どうなると思う」

「記事は書きやすくなるね」

まず軽口をたたいてから、氷谷は考えた。

さすがと言うべきか、おれの狙いを見抜くのに、まず十秒とはかからない。

「ああ、そうか。要するに瓜野は、次に放火されるのがどこか、予想しようっていうのか」

おれは大きく頷いた。

もし連続放火に共通点があるなら、法則性も見出せるかもしれない。そうなれば、記事はただ放火のことを書くだけでは終わらない。

この街に放火魔がいる。そいつは四ヶ所に火をつけた。……そして、次はここを狙っている。そういう記事が書けるのだ。

外れても、残念だったで済む。一方、当たれば大きい。犯罪の発生を見抜いた『月報船戸』の大手柄ということになる。人を小馬鹿にした門地も黙らせられるだろうし、堂島部長にも胸が張れる。新聞部は何をやってるのかわからない、などとも言わせない。

それになにより、小佐内の前で恰好がつく。

「いまのところ、『共通点』があるのかどうかもわからん。とりあえず全部巡って、写真を撮るところから始めようと思ってる」

氷谷は、なぜか溜め息をついた。

「本当になあ。瓜野の行動力は羨ましいよ」

こいつの普段を知っているので、おれはその言葉を本心ではなく、皮肉だと受け取った。手が空いていれば腹を殴ってやりたいところだが、いまはハンドルを握っている。手袋が厚くてブレーキを握りにくく、危ないのだ。この場は見逃してやる。

町の境目には看板が出ているわけではない。消防署の角を曲がると、電柱に「木良市西森町一丁目」と書かれたプレートが巻かれてあった。それでおれは、自分たちがもう西森に入ったことを知った。

冬の日は短いが、冬至を過ぎて、それでも少しは長くなってきているようだ。木良市内を巡りに巡って、最終的には駅前に辿り着く。別に駅の近辺で放火があったわけではないが、腹も減ったし疲れたし、最後に何か熱いものでも飲んで終わりにしようと、とりあえず駅まで来たのだ。

駅前にはハンバーガーショップがある。小佐内とつきあうようになって、この街にはいろんな店があることを知った。だがおれはもともと、百円そこそこのハンバーガーで充分満足する。

案の定、昼間も気温は上がらなかった。もともと色白の氷谷の顔が、ほとんど蒼白になっている。無理につきあわせて悪かった。思わせぶりというわけでもないのだろうが、氷谷は熱いコーヒーカップをありがたそうに両手で包み、あるかなきかの微笑でこう訊いてきた。

「で？」

その一音が、なにより応《こた》える。氷谷はこう言っている。「で、何か収穫があったのか？」と。

西森の公園。

小指の資材置き場。

新聞には公園名まで載っていたので、どこが現場なのか、行けばすぐにわかると思っていたのだ。ところが公園らしき開けた場所はどこにもない。氷谷は黙ってついてきてくれたが、おれは背後から、ちゃんと事前に調べろよという抗議の念が浴びせられるのを感じずにはいられなかった。

そうしてさんざん苦労して、ようやく探し当てた放火現場。それを見て、氷谷のこぼした一言もまた、

「で？」

だった。

西森第二児童公園は、公園というのもおこがましい、ただベンチと藤棚があるだけで空き地同然の場所だった。

地面には火の痕跡があった。その分だけは、確かに葉前の空き地よりは事件現場らしかった。土の上に煤《すす》が残っていたのだ。

子供が花火で焙《あぶ》った跡ですと言われても、納得するしかないちゃちなものが。

現場は住宅街。新しい道が通っているだけでまだ町作りはこれからという葉前とは違い、ごちゃごちゃと入り組んだ一角だった。車がすれ違えないだろう狭い道、ところどころに一方通行の標識。葉前の現場と西森の現場に、共通点は見出せなかった。

それでもおれは、コンビニの肉まんを昼飯に代えると、小指の現場に向かった。氷谷にはもういいから帰れと言ったのだ。しかしこいつは、笑ってかぶりを振り、ついてきてくれた。実際、もし一人きりだったら徒労感と寒さに負けて、途中で帰っていたと思う。

ところが小指の現場も、そうした粘り強さを発揮してまで見るべき場所だったかは、はなはだ疑わしかった。

小指一丁目の資材置き場は、比較的あっさり見つかった。間の抜けたことに、消防署の二軒隣がそれだった。これなら走ってでも消火に行けただろう。

資材置き場は見つかったが、あそこが本当に放火に遭った現場だったのか、証拠はない。そこは無人の空き地で、古びた住宅と住宅の間に、材木と鉄骨が何本か放り出されているだけの場所だった。放火の痕跡はなかった。綺麗に片づけられていたのだ。燃えたのは廃材が一本だったから、運び出してしまえばそれだけだったのだろう。だいたい、廃材とはなんだろう。もしかしたらただの板きれだったのかもしれない……。

駅前のハンバーガーショップで、おれは氷谷に悟られないよう、小さく溜め息をつく。西森と小指の現場は、全く似ていないということはなかった。どちらも住宅街で、どちらも割とごみごみしていた。しかしそれだけのことだ。連続放火に繋げて書けるようなことは思いつかず、今日一日を無駄にしたような気がして、おれはやけに疲れていた。

無言でハンバーガーにかぶりつく。

おれ一人ならどうということもないが、氷谷の休日も無駄にさせてしまった。それが申し訳ない。この上、「三ヶ所で駄目なら茜辺にも行くぞ」とは、とても言えなかった。

いや、まだだ。結論に飛びつく前に、三つの現場に何か法則性がなかったか、おれは必死に考える。考えて考えて、それでも何も浮かばなかったら、そのときは氷谷に無駄足を詫びよう。

ビニールハウスの隣の空き地。

狭い公園のごみ箱。

一戸建ての間の資材置き場。

真新しい道路や、速度制限の標識や、三叉路や電柱や公園を、次々脳裏に浮かべていく。

どれもこれも今日見たもので、見慣れたような初めて見るような、そんなものばかりだった。

自分が住んでいるわけでなく、友達が住んでいるわけでもない。そんな町内に踏み込んで、あちこちしげしげと見たことはなかった。「これが住宅街というものか」とか「なるほど商店街とは違うな」などと、間の抜けた感想を持つことはあった。しかしそんな雑感を『月報船戸』に書くわけにもいかない。

「そもそもさ」

氷谷の声に思考が邪魔される。もっとも、たいしたことを考えていたわけではないけれど。

「なんだよ」

「瓜野はどうやら、これが連続放火で、同一人物による犯行だって思ってるよね」

「思ってる」

「それはどうしてなのか、聞いてなかったな。僕は確かに新聞記事を見せたけど、同じ犯人の仕業だとは言わなかったからね」

おれは少し驚いた。氷谷がそれに気づいていないとは。

……いや、そんなことはない。氷谷は当然、気づいているのだ。気づいていて、それでなお、おれに言わせようとしている。おれは氷谷の配慮を察する。たぶん、おれに喋らせることで、おれが考えをまとめる手助けをしようとしている。

それに乗ってみよう、と思った。

鞄からファイルを出す。氷谷のくれたあのファイルに、おれは何枚かのメモを挟み込んだ。少しだけ、厚くなっている。

「曜日に共通点がある」

ファイルを開く。見開きに、おれは去年のカレンダーを貼っていた。

「お前がくれた記事は、両方とも土曜日の新聞に載っていた。放火があったのは金曜日だ。里村に聞いた葉前の放火も金曜日だった可能性が高い。三件とも共通して金曜日に起きている。零時をまわってるから正確には土曜日だけどな。それに、カレンダーをよく見るとわかるが、どれも第二金曜日なんだ」

氷谷は頷き、目顔で先を促す。

「そして、不審火の規模も同じようなもんだ。ちょっと燃えて、すぐに消し止められる。葉前の件ではそもそも燃え上がったのかどうかも怪しい。この、なんというか、同じ程度の暴力性を考えると、犯人は同じやつじゃないかと思う」

言いながら、ひっかかることがあった。それが何か考え、ふと気づく。

「……同じ程度、というんじゃないな。少しずつだけど、エスカレートしてる。最初は刈った草の山で、火は上がらなかった。次はごみ箱で、燃えて消された。そして資材置き場。もし次第にエスカレートしているって見方が正しければ、三件の犯人が同じっていう論拠になりうるんじゃないか」

「いいよ、瓜野。新聞部っぽくなってきた。それから？」

おれはファイルをめくる。縮小コピーして四つに折った、木良市の地図。出して広げる。

「ここが葉前。ここが西森。ここが小指」

と、今日の自分たちのルートを指す。指は地図の左側ばかりをなぞって、右にはほとんど動かない。

「この三つの町は隣接していない。西森と小指は隣り合ってるけど、葉前は少し離れてる。でも、この広い木良市で、西の方でばかり不審火が起きてるってことは確かだ」

地図を覗き込んで、氷谷はふうんと唸った。まんざら、わざと驚いてみせたわけでもなさそうだった。

「本当だ。全域地図で見ると、意外に固まってるんだね」

「そして、昨日が一月の第二金曜日」

このあたり、まだおれに当事者意識がなかった証拠だ。法則を知っていたのだから、昨日放火があるとわかっていてもよかったのだ。それなのに過去の三回ばかり見ていて、今月どうなるかということに頭がいっていなかった。

来月からは、そうはいかない。反省しつつ、地図の上を指す。

「ここが茜辺。南西部だ」

「まあ、そうだ。南南西ぐらいか」

「これからも西に固まるのか、これから広がっていくのか、それはわからんけどな」

椅子の背もたれに体を預ける。座り心地はあまり良くない。

「どれもこれも決定打じゃない。でも、なんとなく同一犯じゃないかな、って推定をするには充分だと思う」

「なるほどね。すると、次があると助かるだろうなあ。データが増える」

物騒なことを言う。……おれも実は、そう思っていたけれど。

しかし、話していてふと思った。

おれは四件の不審火の、共通点を探そうとしていた。しかし考えてみれば、共通はしていなくてもいいのではないか。

たとえば麻雀では、一萬が三つ揃えば刻子《コーツ》。だが、一萬二萬三萬と並べば順子《シュンツ》になって、それもひと揃いだ。仮に放火現場に、「A」と書かれた紙が常に落ちていれば、それは共通点。そして、「A」の次に「B」、「B」の次に「C」と書かれた紙が落ちていたとしたら、これもまた大きな意味を持つ。

葉前、西森、小指、茜辺という順番に。あるいは、その位置に。何か隠された意味がありはしないだろうか。

じっと地図を見つめる。いや、本当は地図を見ていたわけではない。今日見てきたものを、ひとつひとつ頭に思い浮かべていたのだ。

いきなり黙り込んでしまったおれを、氷谷はどう思ったのだろう。こいつも何も言わず、ただポテトを齧《かじ》っていた。そうして何分ぐらいが経ったのだろう。不意に、サイレンの音が駅前に響いた。

「あ。またかな?」

氷谷がこぼす。

ふと顔を上げると、駅前の混み合う道路を消防車が一台、サイレンを鳴らしながら走っていく。車体には「上ノ町2」の文字。いくら緊急車両でも、他の車にぶつけてどけるわけにはいかない。サイレンばかりうるさいけれど、消防車自体は進路をふさがれ、遅々として進まない。間に合えばいいけど、と思いながら、漫然と見ていた。

ふとした思いつきが襲ったのは、そのときだった。

まさかとすぐに笑い飛ばしたけれど、確かめる価値はあるかなと思った。

4

その夜は本を読んでいた。十二時をまわったあたりでサイレンが聞こえてきて、これは消防だなと思っていたらどんどん近づいてくるので驚いた。ベッドにうつ伏せになっていた体を起こして、窓際に近寄ると、赤々とした光の揺らめきがはっきり見えた。火事だ。しかし、心配するほど近くはない。現に消防のサイレンも、ある程度近づいてからは逆に離れていく。

ぼくはぼんやりと、その火の手を見ていた。暗くて距離感が摑めないけど、あれはたぶん、河川敷じゃないだろうか。堤防の上をランニングできるようになっていて、鉄橋の下にはときどきタチのわるい連中がたむろしている。

何か燃えるようなもの、あったかな？　それともやっぱり、距離を測り間違えたかな。

サイレンが静かになったので、ぼくはあくびをした。本はそこまでにして、ぐっすりと眠る。

ついこの間、新年を迎えたと思ったのに、気がついたらもう二月だった。とんでもないことだ。土曜日の朝、ぼくは散歩に出かける。朝の散歩だなんて、小市民的にはこれ以上なくすばらしい行為だ。

春の気配というにはまだ遠いけれど、太陽の照り方があんまりあたたかそうだったので、ぼくはマフラーをしなかった。家を出て、数歩でそのことを後悔した。空気は、さすが二月という辛辣《しんらつ》さを備えていたのだ。いつだったか仲丸さんと二人で〈パノラマ・アイランド〉に行ったとき、おそろいの長いマフラーを買ってきたのに、わざわざ寒い思いをしてしまった。

履いた靴を脱いで部屋まで戻るほど耐え難いわけでもない。それに、目的地はどうせ、それほど遠くもないのだ。ぼくはそのまま、コートに首を埋《うず》めて歩きだす。

だいたい、夜に聞こえるサイレンは、どこから響いてくるのか方角さえわからないものだ。だけど昨日の火の手ははっきり見えた。自分で焼いたトーストを腹に詰め込んで、ぼくは朝一番に、野次馬に出かけたのだ。

ポケットにはケータイ、それから数百円分の小銭。前に、とある嘘つきの女の子と一緒に行動していたときは、紅茶やコーヒーや、それからいくつかのケーキのためにお金が減っていった。仲丸さんとつきあっているいまは、なんだか衣装代が嵩《かさ》む感じだ。春休み、何かアルバイトを考えた方がいいかもしれない。

途中、自動販売機で缶コーヒーを買う。すぐには蓋を開けずカイロ代わりに小脇に挟んで、手はポケットにつっこんでとぼとぼ歩く。そのまま十分も歩けば河川敷に出るけれど、これがまたとても寒い。木良市を流れる川は、支流を除いて大雑把に数えると二本あるけれど、そのどちらも川幅は数十メートルとかなり広い。つまり河川敷は大きく開けていて、その分遠慮なく冬の北風が吹き抜けていく。缶コーヒーもたちまちぬるくなってしまった。

そんな過酷な環境に、しかしちょっとした人だかりができていた。思い思いの防寒着を着込んだ野次馬が数人。そして何人か、制服姿が見える。あれは警官なのかな、それとも消防関係の人なんだろうか。見ただけではわからない。ぼくは制服学には通暁していないので。その制服の人々は、昨夜の火事を調べているらしい。

あっちじゃないかと見当をつけて、一発で現場に辿り着くなんて、ぼくの方向感覚もまんざら捨てたもんじゃない。あんまりのんびり歩くとかえって寒さが応えるので、早足に人だかりに近づいた。

「はい、下がって。下がってね」

と、まだ若い制服姿がしきりに声を上げている。見た感じ、野次馬たちは充分に遠巻きにしているようだけど……。まあ、野次馬の存在自体が気に入らないのかもしれない。ぼくもその中の一員に加わって、ひょっこり人の輪の中心を見る。

隣で、休日の暇を持てあました感じの初老男性が二人、こんなことを話していた。

「もったいねえなあ。こうなっちゃ、もう走らねえだろうな」

「もともと捨ててあったもんだろ。貰っちまえば良かったな」

そこには思った通り、燃えたものがあった。黒こげになっているのは、車。ライトバン。隅から隅まで真っ黒け、というわけではないので、もともとの色がクリーム色だったことがわかる。ナンバープレートも残っていた。窓ガラスを割って、車内に火種を投げ込んだものらしい。映画なんかを見ていると、車に火をつけたらたちまち爆発するものだけど……。車が湿気《しけ》っていたのかな。

ふうん、と呟いて、ぼくは人だかりから少し離れる。もちろん、人の間にいた方が風を凌《しの》ぐには楽なのだけど、ちょっと電話をかける用ができたのだ。ポケットからケータイを取り出して、発信履歴から電話しようとする。

ところがそれが上手くいかない。発信履歴は、どこまで行っても「仲丸さん　携帯電話」だけ。目当ての名前が出てこない。考えてみれば、電話で話したことなんてほとんどなかった。仕方がないので、電話帳を呼び出して探す。「健吾　携帯電話」。

休日の朝、まだ時間は結構早いのに、健吾は一コールで電話に出た。

『おう』

また、ぶっきらぼうな返答だなあ……。

健吾、堂島健吾はぼくの古い知人だ。小学校が一緒で、健吾はそのときぼくについて、何か決定的に誤ったイメージを持ってしまったらしい。別々の中学を経て高校で再会したとき、「あの小鳩常悟朗はどこへ行った」というような押しつけがましいことを、ぬけぬけと言ってきた。あの小鳩もその小鳩も、いまのぼくはただの小市民だというのに。そんな齟齬《そご》のおかげで、かつての友情よ再び、というわけにはいかなかった。まあ、小学生時代に健吾と友情を育《はぐく》んだかといえば、正直に言ってそんな記憶もないのだけれど。

といっても、まるっきり縁が切れたわけでもない。たまには話もするし、もっとたまには一緒にタンメンを食べたりもする。ぼくがたまに健吾に何かを頼むと、なぜか健吾は全力で自転車を漕ぐ羽目になるのだけど、今日に限ってはその心配もないだろう。

「やあ健吾。朝早くから失礼」

『そう早くもないけどな。なんだ』

さすが、早起きだ。

すぐに本題に入っても良かったけれど、どうせ後から話すことになるからと、先に別件を済ませることにする。

「いきなりごめん。前に相談された件、その後どうなったかなって思ってさ」

電話の向こうで、戸惑いの気配。

『相談だと？　何のことだ』

確かにあれは、相談ではなかった。むしろ、警告とか忠告とか、そういうものだったかな。

何にせよ、健吾の記憶を掘り起こすため、ぼくは言った。

「ほら。新聞部が干渉されてるって言ってただろ。放課後にわざわざ呼び出して、よくわからないことを念押ししていった、って」

『……ああ』

思い出したらしい。

『小佐内のことか』

「そう、それ」

去年の十一月の終わりごろだったか、十二月の初めごろだったか。珍しく健吾から電話をもらった。用件はよくわからなかった。健吾も、何が起きているのかよくわかっていないようだった。

小佐内さん、小佐内ゆきが健吾を呼び出して、こう言ったというのだ。

「堂島くん、夏休みのことは新聞に書かないでね。でも、それ以外のことだったら、いろいろ書くのって素敵だと思うの」

その後、ぼくに電話した健吾は、いかにも釈然としない様子だった。「夏休みのこと」というのが何を指しているのかは、はっきりわかった。去年の夏休み、小佐内さんはちょっとしたトラブルに巻き込まれ、つねられたり髪の毛を引っ張られたり、ついでに拉致されたりした。そのことだ。

この件には健吾も一枚嚙んでいる。というか、ぼくが巻き込んだ。新聞部の部長である健吾に、小佐内さんが「書かないで」と言うのはよくわかることだった。

健吾が不思議がっていたのは、その前後の状況。たしか、こんなふうに言っていた。

「ちょうど、新聞部で学外のことを書こうって言い出したやつがいてな。よりにもよって、あの夏休みのことを書こうとしてた。いろいろ理由をつけて、俺が止めたけどな。そしたら小佐内が来て、思わせぶりなことを言ってきた。なあ、常悟朗。俺はお前のことがよくわからん。だがな、あの小佐内のことは、それ以上にわからん。お前、何か知らないか？　新聞部が嵌められそうになってるなら、俺も何か考えなきゃならん」

ぼくは何も知らなかった。小佐内さんとぼくとは、もう別々の道を歩いているのだから。

そう思っていたのだけど。

ケータイから、健吾が言う。

『あれはな、やっぱり変な方向に行ったぞ。「学外のことを書きたがってるやつがいる」ってことは、話したな。お前に相談したすぐ後、編集会議でまたその議題が出て、今度は通さざるを得なかった』

おや、と思った。健吾は義理堅く、ちょっと融通が利かないところがある。一度却下した議題を、すぐにすんなり通したりするかな。

「何か事情があったの？」

『議題を提案したのは、別のやつだったんだよ。実にもっともな理由で、「学外のことを書くスペース」を持っていった。面倒だな、名前を言おう。最初に言い出したのは、瓜野って一年生だ。だが、十二月の会議で話を持ち出したのは、別の、五日市って一年生だった』

つまり五日市くんは、瓜野くんが夏休み後に却下された提案を十二月になって再度提出し、通してしまったのか。そして小佐内さんの言ったことは、五日市くんの提案を援護する意味を持っている……。

「五日市くんと小佐内さんの間に、何か関係があるのかな」

しかし健吾は不機嫌に答えた。

『知らん』

「どっちかっていうと、瓜野くんの方かな。繋がりがあるとすれば」

『知らんと言ってるだろう。お前の方が、詳しいんじゃないのか』

どうかなあ。

「今月の『月報船戸』の、コラムを書いたのはどっちだったかな。署名があったような気がするんだけど、忘れちゃって」

すると新聞部部長の堂島健吾は、意外のあまりに上ずった、というような声を出した。

『お前、あれを読んでるのか』

「読んじゃ駄目なのか……」

ちょっと咳払いするような音。

『いや、初めてだったからな、読んでるやつ』

不憫《ふびん》な部長だ。確かに『月報船戸』は、いっつもごみ箱を埋めてるけど。

『とにかく、今月のコラムだったら、その瓜野だ。連続不審火の、次の現場予想とか書いていたな。……怪我人が出てるわけじゃないとはいえ、面白半分に書くようなことじゃない。だいいち不謹慎だよ。ああいうけれんに走る恐れがあったから、俺はあいつを止めたんだが』

「そういえば、そんな記事だったね。次はどこだって書いてあったっけ」

『ああ、たしか津野か、木挽だって書いてたな。根拠はないみたいだったが』

ぼくは一瞬だけ迷った。健吾に「ところでぼくはいま不審火の現場にいて、目の前に黒こげの車があって、しかもここはたしか町名で言うと津野なんだけど」と言うべきかどうか、考えたのだ。

まあ、いまでなくてもいいか。理由は二つ。もったいぶりたかったというのと、話が長くなるとケータイの通話料が嵩むから。収穫はもう充分だ。

本題に入る。

「ところで健吾。実は用があって電話したんだ」

『用だと?』

あからさまな警戒。ぼくはちょっと苦笑いする。無理もない、前回ぼくが健吾に頼み事をしたとき、健吾は必死で自転車を漕がされたどころでなく、ナイフで切られさえしたんだから。

「大丈夫だよ。今回はすごく平和的だから。ただ、写真を一枚送ってくれればいいんだ」

『写真、か』

一拍空いて、

『やっぱり、物騒な頼みのような気がするがな。先に言っておくが、俺はあんまり写真は撮らんぞ』

「新聞部部長ともあろう者が、頼りないなあ。健吾が撮ったことははっきりしてる写真だから、頼むよ。ただ、ちょっと前の話だからね。もしかしたらもう消しちゃったんじゃないかって、それが心配なんだけど」

『わかった、言ってみろ』

ごにょごにょと説明する。

健吾は訝《いぶか》しみ、『もうないかもしれん』と言ったけれど、すぐに探してくれるようだった。


数分待つ。

電話をかけている間も、ぼくは河川敷を渡る風に吹かれていた。もうすっかり体が冷えてしまって、我慢できないぐらい。この数分の待ち時間はつらかった。

カイロ代わりなどと悠長なことは言っていられない缶コーヒーの蓋を開けると、甘いやつを一気に飲み干した。もうずいぶん冷えていて、期待したほどには体があたたまらない。用だけ済ませてさっさと帰ろうと決意したところに、ようやくのことでメールが届く。

さすが健吾、雑な性格に見えて、大事なものはちゃんと保存していたらしい。届いたのは、間違いなくお目当ての写真だった。

車。クリーム色のライトバン。そして、ナンバープレートがしっかり写っている。数字もちゃんと読み取れる。ぼくはそれを記憶する。

そしてケータイをポケットにつっこみ、何食わぬ顔で、鼻歌さえ歌いながら再び人だかりに紛れ込む。放火の事後処理が進む現場に。

首を伸ばして、燃えた車のナンバーを見る。

「……うーん」

つい、唸ってしまう。

いま憶えた数字が、そこに並んでいた。

送ってもらった写真は、今年の夏休みに健吾が撮ったもの。場所は木良市南部体育館。小佐内さんを拉致した連中が使っていた車で、健吾は後日の証拠のため、これを撮影した。

少年審判は既に終わり、拉致犯の少女Aたちは収監されている。あの一件は終わったはずだ。それなのに、いま目の前で、拉致に使われた車が黒こげになっている……。

もう一度、

「うーん」

と唸ってみる。

唸っても唸っても特にいいことはなかったし、なによりいい加減寒いので、風邪を引く前に踵《きびす》を返す。

ああ、それにしても朝の散歩はすがすがしい。健康第一の小市民としては、毎週の習慣にしたほうがいいかな。もう少しあったかくなったら、考えてみよう。

第三章　とまどう春

1

（二月一日　月報船戸　八面コラム）

昨年の秋から、木良市内で不審火が相次いでいる。十月には葉前で、十一月には西森で、十二月には小指で火の手が上がった。この原稿に向かったのは一月十二日だったが、朝刊に茜辺で不審火という記事を見つけた。いずれもボヤということだったが、時節柄、いつ大火にならないとも限らない。船高が燃えては一大事、可燃物は放り出しておかないよう、生徒の皆さん、火の用心に気をつけられたい。もっとも、放火の特徴を考えると、船高界隈が狙われることはないとは思う。次に条件に合いそうなのは津野ないし木挽の辺りだと思われるが、火がつけられる前に犯行が阻止されることを、願ってやまない。（瓜野高彦）

（二月九日　読売新聞　地域面）
木良市津野で不審火　自動車焼ける
九日午前零時頃、木良市津野町三丁目の河川敷で自動車が燃えているのを近所の住人が見つけ、一一九番通報した。消防が消火に当たったが、自動車は全焼した。けが人はいなかった。焼けた自動車は数ヶ月前から放置されていたとみられる。木良署は不審火の疑いもあるとみて調べている。

おれの記事は、そうあれかしと願った通り、ひとつの予言書となった。

小佐内の前で、おれは自分の希望通り、ぶっきらぼうな顔を作った。ぽんと投げ出すように、二つの記事を並べて置いたのだ。

小佐内の反応は、実に不思議なものだった。

もともと小佐内は、感情の波がさほど大きくない。いや、大きいのかもしれないが、それが顔に出ることはほとんどない。笑うときも微笑、怒ったらしいときも黙り込むだけで、鮮やかな表情というものを見せたことがない。

それがこの記事を見たときに限って、強い反応があった。さしずめ刃物でも突きつけられたように身をこわばらせると、じっと二つの記事に見入ったのだ。

あの放課後の、交通事故のような告白から、もうすぐ半年。しかしおれは小佐内の頭の回転について、いまひとつ確信が持てずにいた。普段はぼんやりして、ケーキにしか興味がないようにも見える。しかしそもそも、おれが小佐内に惹きつけられたのは、堂島部長に対して見せたあの不思議な横顔だった。忘れかけていたそのことを、おれは思い出した。記事を見る小佐内、その目の厳しさは、はっとするものだったから。

もちろんおれは、この記事を大いに誇っていた。

この広い木良市で、次の放火現場をずばり言い当てた。それも、警察官でも記者でもない、ただの船戸高校新聞部員の瓜野高彦が！　これがどれほどの難事で、痛快事であることか。この鮮やかな記事に、小佐内がどんな賛辞を寄せてくれるか、想像するだけで楽しかった。

しかし小佐内は、ほんの数秒で記事から目を離した。緊張を解いて、

「符合するね」

と呟く。

……小佐内が、そんな短い間に「『月報船戸』が実際の事件を先取りした」という事実関係を認識したこと自体、ちょっとした驚きではあった。けれどそれよりも意外だったのは、それからほんのわずかな笑みを浮かべただけで、

「一回だけじゃ、まだ、わからないの」

と言ったことだ。

おれが『月報船戸』に必死になっているのは、第一に、瓜野高彦の名を船高史に刻むため。しかし小佐内とつきあうようになって、小佐内にいいところを見せたいというのも、第二の目的になっていた。氷谷に借りを返すのが第三。

その小佐内が認めてくれなかったのでは、せっかくの記事も価値は半減。おれの落胆は、それほど小さくはなかった。

◇

そして一ヶ月後。

一回だけじゃわからないというなら、二回三回と繰り返せばいい。三月の、今度は日曜日。おれは小佐内と会う約束を取り付けた。

もう半年もつきあっているのに、小佐内と休日に会うことはあまりない。部活に入っていない小佐内は、会いたいとメールすればすぐにOKしてくれる。ただ、なんとなく、プライベートな休日を邪魔するのが悪く思えるのだ。この、透明で薄いけれど破れない殻のようなものが、小佐内との仲をぎりぎりで妨げている。無理強いすればぱりんと割れて、そのまま小佐内まで砕けてしまいそうで、おれはまだ小佐内の手さえ握れていない。

今回のメールも、勇気を振り絞ったものではあったのだ。それなのに返信の素っ気なさは、なんとかならないだろうか。『昼からちょっと会えないかな？　見せたいものがあるんだけど』と送ったら、返ってきたのは『うん』だけだった。器用そうには見えないから、メールを打つのが苦手なだけなのかもしれない。

約束した交差点、シャッターを下ろした店の軒先に隠れるようにして、小佐内は文庫本を読みながら待っていた。

「待った？」

と声をかけると、小佐内は前髪の下からちらりと目を上げた。文庫本にしおりを挟んで、

「ちょっとだけ」

腕時計を見ると、確かに十分ほど遅れていた。氷谷と話があったからだが、メールで連絡すれば良かった。

それにしても、小佐内とつきあっている半年で、おれはいったいいくつの喫茶店に入っただろう。

「あのね、いいお店があるの」

の一言で、今日も知らない店に連れて行かれる。少し古びたビルに半地下の形で入っている、〈タリオ〉という店だった。

小佐内は長考の末、「今日はこっち」とクレームブリュレを注文する。おれはいつもの通り、コーヒーだけ。厨房ばかりを気にする小佐内の前に、おれは『月報船戸』の三月号と、土曜の

新聞の地域面を並べて置いた。

（三月三日　月報船戸　八面コラム）
先月の小欄で紹介した連続放火だが、残念なことに新たな事件が起きてしまった。二月九日、津野の河川敷で放火があり、放置自動車が全焼した。これまでの事件より火勢は強かったようだが、幸い開けた河川敷のこと、被害は最小限に抑えられた。この件は朝刊の地域面でも取り上げられたので、知っている人も多いと思う。小欄ではこれ以上の被害拡大を防ぐべく、全力を尽くして犯人の次の狙いを絞り込んだ。おそらく標的となるのは、当真町か鍛治屋町、あるいは日の出町ではないかと思われる。当該地域に住んでいる生徒の皆さんのみならず他の地域の方も、燃えるごみは家の外に出しておかないようご注意を。
（瓜野高彦）

（三月十五日　毎日新聞　地域面）
木良市で不審火
十五日午前零時十五分頃、木良市日の出町で、バス停のベンチが燃えているのを通行人が見つけた。付近の住民が消火に当たり、火はベンチを焼いて、まもなく消えた。木良署では不審火とみて調べている。

ベンチの下に雑誌がまとめて捨てられていて、そこに火がつけられた。プラスティック製のベンチは焦げて変形したが、燃え上がりはしなかったらしい。現場を見に行って、ついでに近くの人に聞いてきた。

「どうだ」

声をかける。しかし間が悪く、ちょうどそのときウェイトレスがケーキを持ってきた。白くて丸い小さなカップの表面に、ほどよく焼き色がついた飴が張っている。小佐内は少し身を乗り出して匂いをかぐと、ほっこりした笑顔で呟いた。

「いい香り……」

視線はクレームブリュレに固定されたまま。もしかしたら、おれが『月報船戸』を並べたことにさえ気づいていないかもしれない。もちろんすぐに記事を読んでほしいが、この瞬間の小佐内は幸せそのもののような顔をするので、こっちを見ろとも言いにくい。

「でもカラメリゼを割る瞬間って、いつも禁断の喜びを連想するの」

そして小佐内はスプーンを取り上げ、表面の飴を何度かつっつく。やがて、ぱりん、と小さな音を立てて、飴が割れた。ところで小佐内の禁断の喜びとは何だろう。食い逃げとかだろうか。

最初の一匙《ひとさじ》を口に運んでも、小佐内は何も言わない。ぼうっとしている。もう一度、

「どうだ」

と訊くと、はっと意識を取り戻して。なぜか誇らしげに言う。

「カスタードシューがあんなに素敵だったのに、ここのクレームブリュレに間違いなんてあるはずない。卵の勝利ね」

それはよかった。次はおれの番だ。

「どうだ」

三度目の声をかけると、小佐内はさすがに真顔になって、スプーンを止めてくれた。記事を手に取って、しげしげと見つめている。二度目だからか、そんなに大きな反応をしない。いや、やっぱり、先月の激しい表情の変化が異例だったのだ。

目を通して記事を置くと、小佐内は正体のわからない溜め息をついた。あきれているというのではなく、嫌になったというのでもない。やがて微笑むと、再びスプーンを取り上げてこう言った。

「すごいね」

そして、そのスプーンを宙でくるりと回してみせる。

「……ごめんね。謝るね。わたし、瓜野くんがここまでやるとは思ってなかった。頑張り屋さんはね、うん、嫌いじゃないの」

テーブルの下で、おれはぐっとこぶしを握った。

スプーンをクレームブリュレに差し込んで、またひとすくい。ぺろりと舐め取って、ほころぶように笑う。

「たいへんよくできました」

その年上ぶった褒め方に、おれは笑うしかなかった。

船戸高校では、もう少しはっきりした反応があった。

月曜日、登校したおれに向かって、園芸部の里村が突進してきたのだ。

「瓜野！　これ書いたの、ほんとにあんた？」

なにしろ、元気の良さでクラスの中でも目立つ里村だ。仲のいい数人もくっついてきて、まだ鞄も下ろさないおれを取り囲む。

里村の手にあったのは、『月報船戸』の三月号だった。表ではなく裏を向け、指さしているのはもちろん、おれのコラム。多少びっくりしたが、おれはすぐに胸を張った。

「そうだ。お前の話も、ずいぶん役に立ったよ。そういえば礼も言ってなかったな」

「そんなのはいいんだけど、あんた、知ってるの？」

心なしか声を潜めて、

「あたしの家の近くで、放火があったのよ。日の出町。こないだの土曜日。あれ？　金曜日だったかな」

「金曜の深夜だから、日付は土曜だな。知ってるよ」

「やっぱり知ってたんだ。ってことは、あんたの記事、また当たったってことでしょ！」

おれはにやりと笑って、頷いた。

事情を知らない他の連中が、「え、どういうこと」と里村に説明を求め始める。おれはようやく鞄を机に置き、あのファイルを取り出した。

「『また』って言ったな。先月も当てたこと、知ってたのか」

「あ、うん。園芸部の先輩が、ビニールハウスのこと書かれたら困るって注目してて、それで気づいたんだけど。なんかの偶然だと思ってた……」

『月報船戸』は、二月の成功にもかかわらず、いまだに広く読まれているとは言えない。しかし里村だけは、新聞部が放火事件を追っていることを知っている。なにせ自分の部が被害者なのだから、記事もしっかり読んでくれたのだろう。それでも小佐内と同じく、一回だけでは感心してくれなかったようだ。

里村は何も言わずにおれのファイルを取り上げ、先月の『月報船戸』を見つけると、

「ほら、ここにね」

と取り巻きたちに説明を始める。

最初は里村の仲間ばかりだったのが、他のクラスメートも興味を惹かれたのか、わらわらと

集まってくる。すると中には、

「あ、この津野の放火は知ってるぞ。車が焼けたやつだろ、見たよ」

とか、

「小指なら、近くだけど。そういえばなんか火事があったって言ってたな」

とか言い出すやつが出てくる。一年C組教室はちょっとした騒ぎになった。その騒ぎの中心は里村だが、その手にあるのはおれのファイル。

先月の記事には目に見える反響がなかったので、今月になってこれほど扱いが変わるとは思わなかった。最初に学外の記事を書こうと決めたのは、去年の九月。紆余曲折があったけれど。

やがて里村がこっちを向いた。

「ねえ、なんで？　どうしてわかったの？　あんたらって何か知ってるの？」

その声につられて、クラスメートたちの視線がおれに向く。文字通り注目を一身に浴びるおれのそばに、いつの間にか氷谷が来ていた。やつはおれの肩にぽんと手を置くと、芝居がかった声を上げた。

「どうせ、それは次号のお楽しみなんだろう。なあ、新聞部！」

そうだ、次号のお楽しみだ。次々号のお楽しみだ。しばらくはこれで楽しんでもらう。おれは大いに頷き、言った。

「もちろん！」

このときおれは、この記事を書いてよかったとしみじみ思った。

寒い思いをしたし、不安もあった。

しかしおれはやり遂げたのだ。


反応は連鎖する。

その日、六時間目の数学が終わったすぐ後。校内放送が流れた。

『一年C組、瓜野。至急、生徒指導室に来なさい。繰り返す。一年C組、瓜野。生徒指導室に来なさい』

新聞部に行くつもりだったおれは、鞄を手に首をかしげる。呼び出しだなんて、中学校の時には一度もなかったことだ。いったい何の用だろうと思っていると、近くにいた氷谷が言った。

「きっと、あの記事のことだよ」

堂島部長に釘を刺されたからというわけではないが、おれは取材には気を遣っていた。氷谷と出かけた、あの一月の取材。そしてその後もあれこれ調べたり、いろんな人から話を聞いたりした。しかし、部長が心配したようなことは、一度もなかったはずだ。

だから、たぶん『月報船戸』は関係ないだろうと思った。じゃあいったい何なのか、見当もつかないまま、おれは生徒指導室に向かった。縁のない場所なのでどこにあるかわからず、少しうろうろとしてしまう。十分ぐらいは、かかったかもしれない。

ようやく見つけた生徒指導室のドアの前に立ち、軽く息を整えてからノックする。中から、

「入れ」

と聞こえた。

職員室には何度も行ったことがあるが、生徒指導室に入るのは初めてだった。汚い部屋だな、というのが、最初の感想だった。給湯器と洗い場を備えていて、そこには湯呑みが四つ五つ、底に茶を残したまま置かれていた。教師用の机は六脚、どれも書類だか紙屑だかわからないものに埋もれて、とても整頓されているとは言えないありさま。この小さな部屋には、二人いた。一人はおれを呼び出したと思われる、生徒指導部の教師。もう一人は、堂島部長だった。

教師は、パンチパーマに口髭を生やしていた。街で会ったら、十中八九やくざだと思うだろう。名前は知らない。ご丁寧に、色の薄いサングラスまでしている。その奥で、目がぎろりとおれを睨んだ。

「お前が瓜野か。遅かったじゃねえか」

やけに低い声だった。こういうのをドスの利いた声というのだろうか。

「来い」

言われるまま、おれは堂島部長の隣に並ぶ。と、教師の机の上に『月報船戸』があるのが見えた。部長の姿を見たときにわかっていたが、呼び出しの用件は新聞部関係だったのだ。氷谷の推測は当たっていた。

教師は、その『月報船戸』の上に手を置いた。

「お前ら、好き勝手やっていいと思ってんのか？　あ？　なんだこれは。言ってみろ」

最初から、やけに威圧的だ。正直に言って足がすくむような気がしたが、堂島部長ははっきりと答えた。

「新聞部で出している『月報船戸』です」

すると教師はいきなり声を高くして、

「そういうことを訊いてるんじゃねえよ、馬鹿にしてんのか？　この記事はなんだって訊いてんだよ！」

と、スチール机を平手で叩く。ばん、と飛び上がるほど大きな音が鳴る。しかし、脅しつけようというのならそれは逆効果だった。机を叩いた途端、積まれた書類がなだれを起こし、ばさばさと床に落ちたからだ。おれは恐れ入るどころか、笑いをこらえるのに必死だった。

部長は笑わなかった。

「ここ数ヶ月、木良市内で起きている連続放火について書いたコラムです」

「そんなのは見ればわかるんだよ、馬鹿野郎！」

書類の崩落でますます頭に血が上ったのか、唾《つば》を飛ばしながら叫ぶ。

「それがお前らと何の関係がある？　遊びでやってんのか？」

「全校生徒に火の用心を呼びかけるためです。放火が続発しているので、なおさら」

「そういうこと訊いてんじゃねえって言ってんだろ、コラ」

おれは混乱してきた。部長は訊かれたことに素直に答えている。泰然自若としすぎてふてぶてしく見えるかもしれないが、質問にはすべて答えている。本当に尋ねたいことがなんなのか、いっこうにはっきりしてこない。

切りがないと思ったのか、部長が話を先取りした。

「先生。つまり、被害予測を出したことが気に入らないんですか」

すると今度は、平手ではなくこぶしで机を叩く。残っていたわずかな書類も、床に落ちる。

「黙ってろ、俺が話してるだろうが。気に入る気に入らんじゃねえ、お前ら、高校生にもなって、やっていいことと悪いことの区別もつかんのか！」

くしゃくしゃになった『月報船戸』を鷲づかみにし、おれたちに突き出して、

「ろくな根拠もねえのに、好き勝手書きやがって。何かあったら、お前ら責任取れるのか？それともお前ら、自分で火ぃつけたんじゃねえだろうな！」

部長はしばらく黙っていた。

それこそ火の出るような言葉を立て続けに浴びせられ、さすがに怯んだのかと思った。しかし違った。部長はやがて、これまでにも増して落ち着いて、訊き返したのだ。

「先生は、新聞部が放火犯だとお考えですか」

「あ？」

なおも凄む教師。しかし、部長の逆ねじが効いたことは明らかだった。しまった、という気配が、目の辺りにはっきりと表れている。

対照的に堂島部長は、静かな怒りを滲ませていた。

「新聞部を犯罪者扱いされるようなら、顧問の三好先生も一緒にお話を伺った方がいいと思いますが」

三好先生というのは、新聞部顧問だということだけは知っているが見たことはない。何かすごい先生なのか、それとも単に、他人を交えられては困るのか。生徒指導の教師はあからさまに舌打ちした。

「ガキが、屁理屈ばっかり上手くなりやがって。お前みたいなのがゆくゆく、口しか動かねえゴミみてえな人間になるんだよ。人の言うことは黙って聞け！」

言うことが完全な言いがかりになってきた。おれもいい加減、黙ってはいられなかったが、部長は軽く手を動かしておれの動きを遮った。腹から声を出して、

「根拠のない記事は書かないよう、今後気をつけます。ご心配をおかけして、すみませんでしたっ」

びしっと頭を下げる。

たぶん教師は、まだ言い足りなかったのだろうと思う。というか、事実上、まだ何も言っていない。しかし顔を上げた部長と目が合うと、こう吐き捨てた。

「最初からそうしてろ、バカが。出て行け」

部長はもう一度、頭を下げた。おれもそれに倣《なら》うと、二人で揃って生徒指導部を後にする。

廊下を歩きながら、おれは胃がむかつくほどの怒りに襲われていた。ひとつには、いまの理不尽さ。田中さんの空き地に放火があった件で園芸部にいちゃもんをつけたのも、たぶんいまの教師だろう。そして、腹が立つ理由はもうひとつ。最初から最後まで、堂島部長に庇《かば》われたからだ。おれは、何も言えなかった。

怒りと悔しさと、情けなさにこぶしを震わせる。無意識に声が出る。

「くそっ」

しかしその声を、部長はどう解釈したのだろうか。やけにしんみりと、こう言った。

「悔しいのはわかる。いまのは難癖だった。……新田《にった》先生も、去年はあれほどじゃなかったんだがな」

あれは新田という名前だったのか。

ずんずんと歩く速度を落とさないまま、部長は続ける。

「厳しい先生だったが、あれじゃただ、男のヒステリーだな。いろいろあって情緒不安定なんだろうが、いいとばっちりだ」

「いろいろって、おれたちがですか」

ちらりとおれを見て、

「違う。新田先生の私生活だ。離婚したそうだ」

おれもこれで十年間、学校に通っている。しかし教師の結婚生活など気にしたこともなかった。教師の言うことは天の声で、先方に不具合があるかもしれないという発想自体、ほとんどなかった。

部長はしかめ面のまま。

おれはもう一度、今度は心の中だけで、「くそっ」と呟いた。

階段まで来る。おれは上るし、部長は下りるらしい。最後に立ち止まって、少し話した。

「瓜野。お前、次号で『タネ明かし』しろ」

「えっ」

「どうして次の放火現場を当てることができたのか、その過程をきっちり書くんだ。コラムの欄で足りなければ、スペースは作る」

咄嗟《とっさ》には、返事ができなかった。何を言われたのかわからなかったわけではない。しかし。

「でも」

と言いかける。

「まあ、スペースのことは編集会議で、皆で決めることか」

「そうじゃなくて」

喉まで出てきた言葉を、ぐっと呑み込む。いま部長に言うべきことじゃないと思ったからだ。代わりに、別のことを言う。

「でも、いま、書かないって新田先生に言ったじゃないですか」

部長は真面目くさった表情のままで、

「言ってないぞ」

「だって」

「俺が言ったのは、『根拠のない記事は書かない』だ。お前が根拠を書くなら話は別だ。新田を黙らせ、お前もケリをつけるにはこれしかないだろう」

おれは間抜けにも、ぽかんと口を開けて何も言えなかった。確かに部長の言うことはスジが通っている。しかし、こんな詭弁《きべん》を使うような人には見えなかった。ぜんぜん、そんな感じではなかった。

用は済んだとばかりに階段を下りかける堂島部長に、なんとかこれだけ、言うことができた。

「いいんですか、書いて」

我ながら意味のない質問だった。部長は「書け」と言ったのに。肩越しに振り返り、堂島部長はほんのわずか、しかめ面を緩めたようだった。

「構わんだろ。……離婚してようがなんだろうが、さっきのは俺も結構、頭にきたからな」

その後ろ姿を見ながら、おれは奥歯を食いしばる。

込み上げてきたのは、また、悔しさだった。

◇

「タネ明かし」しろと言われて、おれが口ごもった理由ははっきりしている。

数日後、氷谷に相談したとき、やつはたちどころにおれの心境を見破った。

「そりゃあもったいない。まだ引っ張れるネタだよ、これは」

昼休みのことで、おれたちは昼飯を食っていた。おれはコンビニ弁当を、氷谷はバターロールをぱくついていた。鮭《さけ》を頬張ったところだったので、その通りだと答える代わりに、おれは二度頷いた。

「生徒指導部からの横やりってんじゃ、仕方ないけどね。まだ三、四ヶ月は小出しにできたと思うよ」

それもその通り。今度は大きく、一度頷く。

つい昨日、新聞部の臨時の編集会議が招集された。堂島部長の主張がそのまま通って、おれにはこれまでよりも大きなスペース、四分の一ページが与えられた。栄えある「新入生歓迎号」の紙幅を割いていただけたのはかたじけないが、それはこの放火事件追跡に、幕を引くためなのだ。

ようやく、鮭をのみ込む。

「里村が広めたんじゃないかと思うが、あの記事には反響があるんだ。信じられるか？　放課後になると印刷準備室に、『新聞をなくしたんですが、余っていたら、くれませんか』ってやつが来るんだ。それも、もう三人だぞ」

「印刷準備室？」

「ほらな。新聞部が印刷準備室を部室に使ってることすら、これまで誰も知らなかったのに。たった二回でこれだ。これからいくらでも、話をふくらませていけると思ってたのにな」

　里芋をつつきながら、おれは小さく溜め息を漏らす。

　氷谷は、少し考えるようだった。だがいくら氷谷が切れ者でも、今度の相手は生徒指導部。分が悪い。

「その生徒指導部の命令、無視できないのかな。新聞部の部長が、もっと肝が据わっていたら」

　ためらったが、いくら悪く考えても、あのときの堂島部長を腰抜け呼ばわりはできない。弁護するのも業腹だが……。

「いや。部長は充分、抵抗したよ。どう考えても新田はおかしかった。あんなやつを相手にラストチャンスをひねり出しただけで、たいした度胸だ。これ以上は無理だろう」

「じゃあ、言われた通りに『タネ明かし』するつもり？　もったいないよ。放っておけば丸一年だって、あんなの誰も気づくわけがない。僕だって最初に聞いたときは、なに馬鹿なこと言ってるんだって思ったぐらいだ」

確かに、氷谷と出かけた取材の日、駅前を走る消防車を見て思いついたおれのアイディアを氷谷は笑った。しかしその後の事件と、なによりも裏づけのデータのコピーを渡したことで、氷谷はおれの正しさを信じてくれている。

「いったん書いたら、もう放火ネタは諦めなきゃいけないってわかってるよね」

「仕方ないだろ」

茶を飲んで、一息つく。

なぜ新聞部が、というか瓜野高彦が次の放火現場を予想できるのか、それを明かしてしまえばもう、『月報船戸』のアドバンテージはなくなる。こと今回の連続放火に関しては、また誰も読まなくなるだろう。

「納得できないなあ」

と、氷谷は大きく慨嘆《がいたん》した。そして不意に、おれの目を覗き込んでくる。

「瓜野はこれで満足してるわけじゃないだろ？　船高に名を残すって言ったじゃないか。これぐらいじゃ、悪いけど、歴史に名は残らないね。僕は不満足だ。これからってときに」

「まあ、そうだろうな」

「思った通り、放火はだんだん物騒になってきてるんだろ？」

今度は、素直に頷くことができた。

ファイルを取り出すまでもなく、放火の現状は頭に入っている。

十月　葉前　空き地に積まれた草
十一月　西森　児童公園のごみ箱
十二月　小指　資材置き場の廃材
一月　茜辺　放置自転車
二月　津野　放置自動車
三月　日の出町　バス停のベンチ

これまで火をつけられたのは、ごみかごみ箱だった。しかし今月のベンチは実際に使われているものだ。

やはり間違いなく、犯人は意図的に犯行をエスカレートさせている。つまり……。

ここから先を、おれは自分の口から言うことはできなかった。しかし代わりに、臆面もなく、氷谷が言ってくれた。

「この事件、もっと大きくなる。瓜野の存在も、それにつれて大きくなるってのに」

確かに、凶悪犯罪に挑む高校生新聞部、という構図になるかもしれないと思っている。あまりおおっぴらにそうなってほしいとは言えないが、おいしい事態だ。

しかし、どうしようもない。来月の『月報船戸』は「新入生歓迎号」になる。そこで「タネ明かし」をすることさえ新田の神経を逆撫でするのに、公然と逆らい続ければ、何をされるかわからない。おれは船高生徒として船高の歴史に名を刻みたいのであって、退学してまでとは思っていない。

自分でも気休めとわかっていることを、言う。

「もしかしたら、これ以上のネタが見つかるかもな。後になって、連続放火なんて小ネタだったなと笑えるかもしれん」

氷谷は肩をすくめた。

「本気で言ってるんじゃないよね」

まあ、可能性が低いことはわかっている。

バターロールの最後の一個を食べきって、氷谷は小さく伸びをした。

「ふう……。ま、もしかしたら大逆転があるかもしれないからね。瓜野、僕からの忠告だ。きちんと聞いてくれよ」

そう言う割に、話す当人がさほど真剣ではない。が、いちおう、あごで先を促す。

氷谷の「忠告」は、しかし、妙に予言めいていた。

「記事は二種類用意しておくといい。ひとつは、なんとか部長の言うとおり、『タネ明かし』

の記事だ。そしてもうひとつは、これまでの事件の経過をまとめて、最後に次の現場を予想する形。新入生たちに経緯を理解してもらって、大いに楽しんでもらえる形にするんだ。ぎりぎりで差し替えても、間に合うように準備しておくんだ」

つまり、氷谷は「総集編」にあたるものを用意しておけと言っているのだ。それはつまり、さらに先を考えてのこと。先など、ないというのに。

「……どうしてそんなことを。そりゃ、そういう記事を使えれば嬉しいが、そんな可能性はないだろう」

「だから大逆転って言っただろ。あんまり真に受けないで、占い程度に思っておいてよ」

どういうことか、真意を測りかねる。悔しいが氷谷の考えることは、ときどきおれの頭では理解できない。

説明してくれと頼んで、聞いてくれるだろうか。そんなことを思っていたおれに、明るい声がかけられた。

「あ、名探偵は作戦会議?」

里村だった。

「名探偵じゃねえよ。新聞記者だ」

「それでもかっこいいよ」

冷やかしには構わず、残り少ない休み時間、おれは弁当を平らげることに集中した。

◇

そして、春休み。

おれは小佐内と、休日の街に出かけた。

小佐内の家は知らない。家族のことも、話したことがない。ただわかるのは、結構裕福なのではないかということ。休日にはあまり会わないとはいえ、小佐内の私服は見るたびに違っている。今日はすっきりとした白シャツに黒いタイをつけて、ちょっと恰好がいい。あと二十センチほど背が高ければ、勇ましいようにも見えただろうが。

回数が少ないからというだけではなく、小佐内の好みは、いまだによくわからない。どこかに連れて行くにしても、どこに行っても楽しんでくれるが、一面どこに行っても、心から喜んでいるようではない。たとえば〈アールグレイ2〉でティラミスを食べたときのような、たとえば〈タリオ〉でクレームブリュレを食べたときのような、ああいう掛け値なしの笑顔を見るにはどうしたらいいのだろう。それがわからなくて、また映画館を選んでしまう。

映画はラブストーリーという触れ込みだったけれど、これが詐欺的な広告文句だった。確かに前半は甘い話だった。恋に不慣れな青年と、可憐で不幸な女優。波瀾万丈の恋の結末は。ところが中盤から様相が変わってきた。女優のまわりには事故が多い。最初は「オペラ座の怪人」的なストーカーの仕業と見せかけて。

明かりの落ちた映画館で、おれは隣の小佐内の表情を窺った。可憐な女優は、要するに保険金詐欺の常習犯だったのだ。純情な青年は、次第次第に追い詰められていく。身に覚えのない罪。いつの間にか揃えられた自殺の道具。彼は女優を信じようとするが、彼女からの電話にやがて、身を凍らせるようになる。

子供のころ、こういう童話を聞かされた覚えがある。恋愛映画を見るつもりで、おれはうっかり、逆「青ひげ」を選んでしまったのだ。ポスターに騙された。結末はやけに、後味の悪いものだった……。

映画が終わって館内が明るくなると、気まずい雰囲気が漂っているのがわかった。カップルで来てしまったのは、おれたちだけではなかったのだ。ところどころでブーイングにも似たうめき声と、小さな喧嘩の声が上がる。

おれもすぐに詫びた。こんな後味の悪いサスペンス映画だとは知らなかった、と。しかし小佐内はかぶりを振って、

「ううん。楽しかった」

とだけ言った。

……最近、特に思うのだ。おれはこの、下級生にしか見えない上級生に、遠慮しすぎているのではないだろうか、と。笑ってほしいのはたしかだけれど、だからといって、ご機嫌取りを

してしまっているのではないか。手も握れないもどかしさの中で、時には強引さも必要じゃないかなどと、考えてしまうこともある。

いろいろ思いながら、案内されるままに喫茶店に入る。そこで訊かれた。

「どうしたの？　クリーム、ついてる？」

ふと気づくと、おれは小佐内の顔を、じっと見つめてしまっていたようだ。

場所は、木良市のメインストリートから少し奥まった、雑居ビルの一階。〈桜庵〉という店だった。ビルの外観は古びているのに、店の中は寂《さ》びた和風に統一されていて、メニューにも抹茶や桜餅がある。ここも行きつけなのか、小佐内はやっぱりメニューも見ずに「あいすくりいむ二種盛り合わせを、黒胡麻と豆乳でください。飲み物はコーヒーでお願いします」と流れるように注文し、それから少し考えて、付け加えていた。「きなこもかけてください」。

おれはやっぱりコーヒーだけ。映画のチケット代で小遣いが尽きてしまった。アルバイトを、真剣に考えないといけない。そんなことを考えていたら、小佐内が呟きだした。

「アルバイト……」

びっくりした。何か、頭の中身が染み出しているのかと思った。少なくとも動揺は顔に出ていたらしい。怪訝そうに訊かれた。

「どうしたの？」

「いや、いま、アルバイトって」

「あ、うん。聞こえなかった？」

ちらと視線を流して、

「あそこにいるウェイトレスさん、うちの学校の子。隠れてアルバイトしてるの」

いくつか席を挟んで、注文を取っているのがそれだろうか。とてもにこやかに、「ご注文を繰り返しますね」と言うのが聞こえた。大人っぽく見えるので、言われなければ高校生とは思わなかっただろう。

「春休みだし、許可取ったんじゃないのか」

「繁華街の喫茶店なんて、許可されないよ。されるんなら、わたしもしたかった」

小佐内がウェイトレスを始めたら、学校の社会体験学習とかに見られるんじゃないだろうか。それはともかく。

「無許可バイトなんて、誰でもやってるだろ」

「たぶん。わたしはそんなこと、とてもできないけど。でもそう、友達が本屋さんでアルバイトしてる」

「じゃあ、どうしていちいち気にするんだ」

小佐内はもう一度、横目でウェイトレスを見る。そして、少し口を尖らせた。

「……化粧と制服で変わるんだな、と思って……」

おれのコーヒーが先に出てきた。いちおう、小佐内の注文が揃うのを待つ。

やがて出てきたのは、漆《うるし》塗り風の、黒い木のスプーン。朱塗りの角皿に盛られた、黒と白のアイスクリーム。一匙目を黒いアイスに差し込んで、一舐め。小佐内はスプーンを口にくわえたまま、にこりとする。

「黒胡麻を使ったアイスはね、珍しくないの」

器用にスプーンを操りながら、

「でも、胡麻の風味が強すぎると、えぐくて論外。胡麻の皮が舌にさわるのも、わたし好きじゃない。口当たりが良くて、胡麻の風味とミルクとが調和してないと、無惨になるの。そのあたり、このお店は完璧。生まれてから食べた黒胡麻アイスの中で、一番絶妙だと思うの」

思えば、小佐内と話をするとき、いつも話し役はおれの方だった。小佐内は何かスプーンを使うものを食べながら、「そうなの」とか「本当に?」とか相槌を打つだけだった。小佐内から積極的に話をするのは、菓子に関することだけなのだろうか。

おれは、菓子に興味はない。それでもなんとか会話を盛り上げたくて、必死に話題を探す。

「ずいぶん、菓子が好きなんだな」

「え?」

白と黒のアイスクリームに均等にスプーンを入れていた小佐内が、ふと顔を上げる。

「アイスクリームとか、ケーキとか、本当に好きなんだなって思って」

「……え、うん」

小佐内はきょとんとしている。お前は人間なんだな、とでも言われたように。すぐに目を皿の上に戻してしまう。

「好き」

「嫌いじゃない、じゃなくて？」

「うん、好き」

「どうしてかな」

「どうして？」

はたとスプーンが止まる。あまりに話がつまらなすぎて、あきれられてしまったのかと思う。しかし小佐内は思いがけず、はっきりと答えた。

「何も殺さずに食べられるから。牛を殺さなくても、ミルクは搾《しぼ》れる。鶏を殺さなくても、卵は採れるの」

その眼差しは、思いがけず冷えきっている。

小佐内は再びスプーンを動かすと、黒いアイスクリームの最後のひとかけらをぺろりと口にする。そして、

「冗談」

と言った。

「甘いから、好きなの。それだけよ」

「……なんだ」

知らず、おれは溜め息をついてしまう。どうも、小佐内の冗談はよくわからない。こうして振りまわされるのも、そろそろ終わりにしたいとは思う。

「瓜野くんは、甘いのは嫌い？」

「どうかな」

小佐内と喫茶店に入ったとき何も頼まないのは、ただ金がないからだ。好きか嫌いかと言われれば、

「どっちでもないと思う」

「食べないの？」

「あんまり。あ、いや」

ひとつ、思い出した。これで小佐内と話が続けられるとほっとして、口を湿らすためにコーヒーを飲む。

「……この間、貰い物だとか言って、親父が菓子を持ってきたな。あれはおいしかった。なんて言ったかな、栗の、飴みたいな」

「マロングラッセ？」

「ああ、そうだ、それだ」

白いアイスクリームも片づけて、小佐内はほうと息を吐くと、ちびちびとコーヒーに口をつ

ける。もしかしたら猫舌なのかもしれない。

コーヒーは、まだ熱かったらしい。あきらめたようにカップを置くと、小佐内はどこか夢見るように話しだした。

「マロングラッセかぁ。いまが秋だったら、このお店は栗きんとんを出してくれるのに。あれも素敵。新栗の季節に、来られるといいね」

「そうだな、ぜひ」

「マロングラッセの作り方、瓜野くん、知ってる?」

「いや……」

どうやら小佐内は、おれが知ってると思って訊いたわけではなかったようだ。

「マロングラッセはね、栗を煮て、剝いて、シロップに漬けるの。そうするとね、栗を覆う砂糖の膜ができる」

「ああ、そうやって作るのか」

しかし、小佐内はかぶりを振った。

「違う。それは表面だけのことでしょう」

「それだけでいいんじゃないか」

「足りないわ。次に、もう少し濃いシロップに漬けるの。そうすると砂糖の膜の上に、また砂糖の膜ができる。もう少し濃いシロップに漬ける。また砂糖の膜ができる。また、もう少し濃いシロップに。……こうして、何度も何度も繰り返すの」

小佐内は、大切な宝物を守るように、コーヒーカップを両手で包んでいる。目はテーブルの上に向けられ、たぶん何も見ていない。

「甘い衣の上に衣をまとって、何枚も重ね着していって。そうしていくうちにね、栗そのものも、いつかキャンディーみたいに甘くなってしまう。本当はそんなに甘くなかったはずなのに、甘いのは衣だけだったはずなのに。上辺が本性にすり替わる。手段はいつか目的になる。……わたし、マロングラッセって大好き。だって、ほら、なんだかかわいいでしょ？」

上手い言葉が出てこない。そして小佐内は、漆塗り風のスプーンをおれに向ける。

「そしてね。あなたがわたしの、シロップなのよ」

いまの話も小佐内の迂遠な冗談なのか、それとも別の何かだったのか。

小佐内は、おれの顔をじっと見ていた。しかしふと視線を逸らすと、ケータイを取り出して時刻を見る。小佐内はいつも、腕時計はしない。そして自分のバッグから、一枚の紙を取り出した。

「すぐにわかることだから、これをあげるね」

それは新聞だった。今日の朝刊。おれも読んだはずだ。

しかし小佐内がテーブルに載せたのは、その中の一部分。教職員の異動一覧のページだった。

おれは、はっと気づいた。年度末。異動の時期。

おれがそれを手に取ると、小佐内は伝票をつまみ上げた。

「ごめんね、瓜野くん。わたし、ちょっと用事があるからもう帰るね。今日はごちそうしてあげる。映画、楽しかった。また見に行こうね。……それと」

立ち上がっても、椅子に座っているおれと、目の高さがほとんど変わらない。

「おいたは、もうだめ。何もしないのが、一番いいと思うの」

「え……」

何を言われたのか呑み込む前に、小佐内は身を翻《ひるがえ》し、会計を済ませて店を出て行ってしまう。追いかける間もない。

また、手も握れなかった。今日はどこまで行けるか、ちょっと期待していたのに。それとも体よくあしらわれて逃げられたのだろうか。

そんなことを思いながら、小佐内が残した新聞を手に取る。蛍光ペンのマーキングが、すぐに目についた。

漫然と見ていたわけではないが、その一行を見た途端、おれはぎくりとする。

水上高等学校　新田高義（船戸高等学校）

あの生徒指導部の教師が、異動になった。

氷谷の言う「大逆転」とは、このことだ。そしてそれは実現したのだと、おれは卒然として思い至った。

2

春休みになって数日。ぼくはうららかな太陽の下に飛び出した。

仲丸さんとのデートを、何度重ねたことだろう。綿密な計算をすれば、わかることだと思う。だけどそんなことは必要ない。「たくさん」で充分だ。たくさんのデート！　たくさんの夕暮れ！　そして、たくさんの星空！　もっともついこの間まで冬だったので、星空を見た回数は実はそれほど多くない。言葉の綾だ。なにせ冬の夜は寒い。

無限に一を足しても無限であるように、今日のデートもまた、「たくさん」に内包される。外はあたたかく、もしかしたら半袖でも大丈夫だったかもしれない。けれどぼくは長袖のシャツを着て、ジャケットまではおった。暑いぐらいだけど、これでいい。……春の夜も、それなりに寒いので。

二人で会うことが主たる目的なので、究極的には二人のデートに、目的地は必要ない。けれどそれでは都市のただ中を寄る辺なく漂うことになるので、いちおうどこに行くか決めている。

今日は仲丸さんのご希望で、展覧会を見に行くことになっていた。色の綺麗な版画が見られるとのこと。

駅前の駐輪場が使えるので、今日は自転車。もう手袋はいらない陽気だけれど、自転車に乗るとなると、また話が違う。

いつだったかのバスではひどい目に遭ったけれど、今日は何の困難もない。すいすいと漕いで駅前へ。一日百円の駐輪代を払って待ち合わせの場所へ出向けば、仲丸さんはまだ来ていなかった。先に来ちゃったなと思い、駅前の噴水をぽかんと眺める。そのまま十分ほどぽかぁんとしつづけていると、近づいてくる仲丸さんが目に入った。カーディガンの桜色がやけに品が良く、「普通に遊んでる高校生」の仲丸さんにしてはちょっと澄ました感じがした。

「待った?」

「ぜんぜん」

お約束のやりとりの後、仲丸さんは腕時計を見て、

「じゃ、行こっか」

と先を歩きだした。

目的のイベントスペースは、駅前に建つビルの最上階。エレベーターに入ると、目的を同じくする面々で、小さな空間はいっぱいになった。とはいえ、それもわずかの間のこと。横開きのドアが開くと、白がまぶしいフロアで、赤をまとった案内嬢が「ようこそいらっしゃいまし

た」とお辞儀した。

展覧会そのものについては、特に思うことはない。イルカを見ればイルカだなあ、クジラを見ればクジラだなあ、とか思うだけ。そういえば昔、ちょっと理由があって高橋由一《たかはしゆいち》の「鮭」を画集で見たことがあった。あのときもサケだなあと思ったことを、思い出す。サケという発音とシャケという発音の間には、どんな関係があるのだろう。ただの音便とは思えない。方言なのかな？

ふと見ると、仲丸さんも、実はあんまり面白がっているわけではないようだ。まあ、版画展はデートの口実なので、別につまらなくたって構わないのだけど……。それでもいちおう、お誘いを受けた身だ。訊いてみる。

「こういう絵、好きなの？」

仲丸さんは首をかしげた。

「うーん。好きなのは、ジグソーパズルだったのかな」

まさか仲丸さんに、ジグソーパズルの趣味があるとは思わなかった。偏見だけでものを言うなら、どちらかといえばジグソーを組み立てている人に後ろから近づいて、「なにつまんないことやってるの！」とテーブルをひっくり返しそうなのに。失礼しました、人は見かけによらない。

と思っていたら、

「兄貴が凝ってたね。あたしは壊す方だったけど」

偏見の通りだった。

二十分ほどで二人とも飽きて、いや満足して、おもむろに帰りのエレベーターに乗り込む。なんだかスタッフらしい男の人にじろじろ見られたけれど、どう見てもぼくたちはただの小市民的高校生。声をかけられることもなかった。

ビルを出て、春の日の下でひと伸び。

「どうしよっか」

まだ時間はたっぷりある。

「どこかに入らない？」

「ああ、それなら」

いくつか心当たりを思い浮かべる。

「……ここからだと、〈桜庵〉が近いかな。和風の落ち着ける店だよ。〈ベリーベリー〉が一番近いけど、椅子が悪いからね」

すると仲丸さんは、なんとも言い難い変な顔になった。ちょっとそっぽを向いて、拗《す》ねたような。

「なんだろうね。小鳩ちゃんの、この変な鈍さは。ほんとに鈍いわけじゃないと思うんだけど、ときどき明らかに鈍いよね」

何か、お気に召さないことを言ってしまったかな？

「和風、嫌いだった？」

「いやそうじゃなくて」

じっと、ぼくの目を覗き込んでくる。たぶんそこに、困惑しか見つけられなかったのだろう。仲丸さんは、盛大な溜め息をついた。

「わかんないかなあ。小鳩ちゃん、そういうお店、よく知ってるよね。スイーツのおいしい店とか」

「あ、うん。それなりにね」

頷くと、胸元に人差し指を突きつけられた。

「なんで、どうして、知ってるの？」

「……ああ」

そういうことか。

ぼくが知る甘いものの店は、ほとんどすべて、小佐内さんに教わったものだ。

「わかった？　小鳩ちゃんがあのお店このお店って言うたびに、前の彼女の影がちらつくの。良くないよぉ、そういうのは」

ぽりぽりと頭をかく。なるほど、そういうものかもしれない。一言もない。

もう一度溜め息をついて、仲丸さんは言った。

「ちょっと歩こうよ。せっかく、いい天気なんだし」

無為な散歩は望むところ。仲丸さんさえ、よければだけど。

こうしてぼくたちは、木良市のメインストリート、三夜《さんや》通りを二人並んで歩きだす。白いタイルが敷かれたアーケード街に入っていく。

春休みに入って、平日の昼間でも人の姿は多い。仲丸さんの桜色をはじめとして、レモンイエローのTシャツやエメラルドグリーンのシャツ、オフホワイトのパンツなどなど、華やかな色合いが目に入ってくる。木良市のメインストリートは、例に漏れない商店街不況で、シャッターの下りた店が多い。それでも冬を抜け出したこんな日には、ある程度の活況を呈するらしかった。

歩くつれづれに、仲丸さんがこんなことを言い出した。

「あのさ。いまさらっぽいことなんだけど、訊いていいかな」

「甘いもののことだったら、ぼく自身はそれほど好きでもないよ」

「違うよ」

むっとした声が返ってきた。

「そうじゃなくて。……去年さ、あたしが教室に呼び出したとき。小鳩ちゃん、正直言って、あたしのこと知ってた？」

ちょっとびっくりした。確かにいまさらだ。半年も前のことだけど、はっきり憶えている。

ぼくは仲丸さんの、名前すら知らなかった。

とはいえ、ここは正直の美徳を発揮するところじゃないだろうなあ。

「クラスメートだってことは、知ってたよ」

「そう。それだけ?」

「うーん」

何か言えることはないかと記憶をさらにまさぐってみるけれど、どうも何も出てきそうにない。まあ、無い袖は振れないということで。

「そうだね。それぐらいだったかな」

これではあまりに薄情な気がして、付け加える。

「もちろんいまは、いろいろ知ってるけど」

途端、ばしんと背を叩かれた。いまのぼくはそう、たとえば、仲丸さんは案外照れ屋だということを知っている。

赤信号。立ち止まると、数人が溜まってきた。他の人を憚って、仲丸さんは口を閉じる。信号が変わり「通りゃんせ」の音楽で横断歩道を渡って、集団がばらけたところで、また訊かれた。

「それじゃあさ。よく知らないあたしの告白を、どうしてOKしたわけ?」

そう来たか。

歩きながらの話にふさわしく、仲丸さんの語調は軽い。けれどぼくは仲丸さんの横顔を見るのに、盗み見るようにしなければならなかった。目が合うと一気に会話がシリアスになるような、そんな気がしたので。

仲丸さんは道の先を見ているだけで、春らしい暢気《のんき》な顔をしていた。それでぼくも、暢気に答えた。

「放課後の教室だったよね。間近に見て、話を聞いて、いい子だって思ったからだよ」

「いい子、か」

吹き出すような笑い声。

「いい加減なこと言うよね、小鳩ちゃん」

確かにいい加減だった。しかし正確に言おうとすれば、たぶん「断る理由がなかったから」ということになってしまう。さすがにそう言うわけにもいかない。嘘が多くなるなあ、どうしても。

……もっとも、それはたぶん、お互いさまだ。ぼくばかり嘘をつかされるのでは不公平。仲丸さんにも、何か嘘をついてもらわないとバランスが悪い。別に知りたいと思っているわけではないけど、ささやかな意趣返しに訊いてみた。

「じゃあさ、ぼくもいまさらなんだけど。……どうしてぼくだったの？」

仲丸さんは、何の動揺も見せなかった。この半年、訊かれるのをずっと待っていたように、すぐに答えが返ってきた。

「ヘンな顔してたから」

それはそれは。顔芸は専門外なんだけどな。

次の信号にさしかかったけれど、今度は青ですんなり渡れた。「通りゃんせ」が間の抜けた音で響いている。

「……男子ってさ。結構、世の中斜めから見てますってやつが多いでしょ。かったるいって言うのがかっこいい、みたいな。あたし、小鳩ちゃんのこと最初はそう思ってたのね。前の彼女、小佐内だっけ？　あれもなんだか、無難なとこで妥協しましたって感じだったし。かわいいのはかわいいけどさ、地味でしょ」

そこはちょっと認識がおかしいけど。まあいいや。

「でも、なんかちょっと違ったんだよね。浮いてるわけでもないし、冷めてるわけでもないし。ガードが堅いんだってことはわかったけど、でもなんていうか、童貞くんっぽい人嫌いのガードでもない感じだったし。ヘンな顔してるな何考えてるのかなって思ってたら、なんか彼女と別れたっていうから、じゃあって思ってさ」

なんだか、嘘をつかせようという目論見《もくろみ》はまんまと外れてしまったようだ。

仲丸さんはどうも、本当のことを言ったような気がする。嘘にしては、あまりに意味がわからない。要するに仲丸さんは変人が好きで、ぼくは変人に見られたってことなんだろうか？

いやいや、まさか、そんな。ひきつった笑いが浮かぶ。……小市民として集団に溶け込んでいた自負があったのに、ぼくの擬態《ぎたい》は、そんなに下手だったのか？

おそるおそる、訊く。

「友達とかも、ぼくのことヘンだって言ってた？」

ところが仲丸さんは、目を丸くした。

「え？　小鳩ちゃん、そういうこと気になるの？」

「そりゃあ、なるよ。自分がヘンな顔してるなんて、思わなかったからね」

そう口を尖らせると、仲丸さんは笑った。声を上げて、さも楽しそうに。

いったい何を笑われているのかわからなかった。ただわかるのは、仲丸さんもたいがい、奇妙ではあるんだなということ。この半年、小市民倶楽部の一員とだけ思っていたけれど。

涙が出るほど笑って、それを手の甲で拭う。そうして、ぼくの背中をばしばし叩く。

「心配いらないって！　小鳩ちゃんのことそんなふうに見てたのは、あたしぐらいだから。むしろ『小鳩って面白くない？』って訊いたら、みんな『普通でしょ』って言ってたよ」

まあ、それなら、いいんだけどさ。

いまの馬鹿笑いで、なんだか話は終わった感じになった。三夜通りも、結構先まで歩いてきた。このまま行けば、〈チャコ〉という喫茶店が近い。これは小佐内さんではなく、堂島健吾経由で知った店だ。だけど行きがかり上、ぼくは黙っていた方がいいだろう。鈍いと言われてしまったけれど、ぼくもそのぐらいの察しはつく。

「どこまで行くの」

仲丸さんは少し考えて、

「アクアパーク通って、マルイに行こっか」

用はないけど、どこへでも。

アーケードの頭上、空中に柱が渡されていて、文字盤の大きな仕掛け時計が据えられている。何気なく見ていると、仕掛け時計の両側から楽団の人形が飛び出してきた。仲丸さんに教えてあげたくて、ちょっと袖を引いて人形たちを指さす。

「ほら」

「……あ」

トランペットを持った人形、ドラムを首から提げた人形、トライアングルをぶら下げた人形。三角帽子の人形たちは、もう仕掛けが古くなっているのか若干ぎこちなく整列すると、高らかに音楽を奏で始める。ちょうど、三時だったのだ。

聞き覚えはあるけれど、題名は知らない曲だった。せっかく楽団が出てきたのに、音はオルゴールのものだった。ただ、少し音量が大きい。隣を歩く相手にも声が届かない気がして、ぼくたちは黙って、その時計の下をくぐり抜ける。

ちろりん、と最後の残響が消える。

店と店の間の壁に、さっき行ってきた版画展のポスターが貼ってある。それにちらりと視線を向けたかと思うと、仲丸さんが「そういえば」と切り出した。

「そういえばさ。この話、したっけ?」

「どんな話」

「兄貴の家にドロボーが入ったって」

おっと、それはお困りだっただろう。取り柄のない小市民のぼくだけど、そういう話なら少しは仲丸さんの力になれるかな? 心の中で、ちゃんと話を聞く姿勢を整える。

「いや、聞いてないと思うよ。お兄さんって、あのジグソーパズルが好きな?」

「話してなかったか。うん、そう、そいつの話」

二人とも、わずかに歩みを緩める。話をしやすいように。

「兄貴はいま、横浜で大学に行ってるの。一回見に行ったけど、せっまいアパートできったない生活しててさ。仕送り貰って夜はファミレスでバイトして、朝は新聞配達までやってるのに、あのぐらいの部屋になっちゃうんだね。あたしも大学行ったらああいうとこに住むのかと思うと、イヤになったね。あたし、絶対二階以上で、お風呂とトイレは別々がいいな。小鳩ちゃん、大学行く?」

「たぶん。それで?」

「なんか怪しいサークルの合宿で、三日ほど留守にしたんだって。新潟って言ってたかな。夜の内に車で出発して、一晩かけて交替で運転したらしいけど。あたしもそういうの、やりたいな。免許取って、友達集めて。あ、もちろん小鳩ちゃんも一緒がいいな。

で、帰ってきたら、窓ガラスが割られてたの。もちろん外から。割れたっていっても、なんて言ったっけ、鍵かけるツマミのとこだけちょっと割られてただけみたいだけど。でも部屋中歩けないぐらい本とかCDとか落ちてて、もう、すぐに泥棒だって思い込んだってさ。兄貴、メタルとか好きなんだ。結構珍しいCDとかも持ってるから、かなり焦ったらしいよ。ただそこは見栄があって、警察呼ぶ前に、部屋の掃除したって言ってたけど」

いいのだろうか。鑑識さんの邪魔をしている気がするんだけど。

アーケード街から逸れて、ビルとビルの間の小路に入る。もともとは裏通りだったけど、いまは手が加わって、短い遊歩道のようになっている。ぼくたちの他に、人の姿はない。

「警察を呼んだら、いくらぐらい盗まれたのかわからないと駄目なんだって。兄貴は部屋中をひっくり返して、何がなくなったか確認しようとして、結局気づいたの。小鳩ちゃん、なんだと思う？」

被害額を確認しようとして、あることに気づいた。

……となると、話は決まってる。

「何も盗まれてなかったんじゃないかな」

仲丸さんは、ちょっと不思議そうな顔をした。

「なんでわかったの？」

このぐらいで驚かれてもなあ。ぼくは軽く肩をすくめた。

「被害がないなら、良かったね」

「うん、まあ、そうなんだけど」

「たぶん窓は何かが当たって割れただけで、泥棒でもなんでもなかったんだね。部屋が荒れてたのは、こう言うのもなんだけど、お兄さんが自分で散らかしたんじゃないかな」

こう言ったところ、仲丸さんはにやっと笑った。「そう思うでしょ」と言わんばかりに。その笑いは、ちょっと自尊心をくすぐってくる。

「ところが、違うんだな」

「へえ」

「部屋が汚かったのが兄貴の自爆だってのは、当たってるよ。でも誰かが部屋に入ったことは、間違いなかったんだってさ。窓には二重でカーテンが掛かってたんだけど、それが開いてたから。もし何かボールとか当たって割れただけだったら、カーテンまでは開かないでしょ」

どうかなあ。

確かに、事故で割れたんだったらカーテンは開かないかもしれない。けれど、その一事をもって「誰かが入ったことは間違いない」とは断定できない。風のせいということがあり得るし、「入ろうとしたけど、入らなかった」という可能性もあるから。

仲丸さんは、ぼくとは違う。この手の話を細心に進めるタイプではない。

けれどそれでも、この断定にはひっかかるものがあった。おそらく仲丸さんは、お兄さんの部屋に誰かが入ったことを、既に知っている。知っているから断定的な言い方をした。

つまりこの話は既に終わって、オチまでついているのだ。真相が判明しているのでは、これは謎に挑むというようなものではない。せいぜい、謎をかけられているというぐらいのものだ。

……いや。そうじゃない。がっかりした顔をしてはいけない。

まいったなあ、とばかり、ぼくは誤魔化し笑いをする。

「そうかあ。それじゃあ、確かに誰かが入ったんだね」

笑うべきなのだ。恋人同士、他愛のない会話に興じる。実に、ぼくの望み通り、小市民的な休日がここに結実しているんじゃないか！

「うん」

仲丸さんは頷いた。

「でもね、ひどいのがさ。被害がないってわかったら、警察が帰っちゃったんだって。『何かあったらご連絡を』ってだけ言われたってさ。冗談じゃないよね、何も盗まれてないっていっても、ガラス割られてるんだよ。アパートの保険で出してもらったって言ってたけど、実際問題それが被害額だよね。自己負担っていうの、なんかちょっとだけ自腹も切ったらしいし。ガラスって結構高いって知ってた？　前にさ、うっかり学校のガラス割っちゃったことがあったんだけど、何万円だってさ、何万円!」

「そうなんだ」

逆にも考えられるなあ。つまり……。

「それでさ」

ぼくの考えを妨げるように、仲丸さんの話は終わらない。

泥棒の話のはずなのに、夾雑物《きょうざつぶつ》が多い。仲丸さんがバストイレセパレートの部屋を希望していることや免許を取ったら旅行に行こうと思っていることやかつてガラスを割ったことなどは、どう考えても本筋から離れている。聞きながら、整理はこっちでやらないと、混乱すること請け合いだ。

なるほど。ぼくが思うに、これは情報の取捨選択で片がつく。

「兄貴もさすがにへこんでさ。だって、ガラス割ってまで部屋に入られて、でも何も盗まれてないってことは、これはもう絶対嫌がらせだって思うよ。でも、いくら考えてもそんな心当たりはないって言うんだよね。間抜けでルーズなやつだけど、確かにね、そんな恨まれる感じでもないし、あたしもおかしいなって思ったんだけど。あたしだったらわかるよ、でもさあ。で、すきま風も気持ち悪いから窓は全開にして一晩過ごして、やばいって気づいたの。何がやばいか、小鳩ちゃん、わかる?」

自分の部屋に誰かが入った形跡があって、しかも何も盗まれていない。何を心配するべきか。

ぼくだったらドライバーを手に、まずはコンセントのカバーを外す。

「盗聴器とか、心配だよね」

仲丸さんは、また眉を寄せて、疑いの眼差しを向けてくる。

「うん、兄貴もそう思ったんだけど」

じろじろとぼくの顔を覗き込んでくる。何もついてないよ。……たぶん。

「……小鳩ちゃん、ほんとにこの話しなかったっけ」

「聞いてないよ」

「そっか」

釈然としていないようだ。「聞いていなくてもそのぐらいわかるよ」と言ってやりたい気持ちを、ぐっとこらえる。

「まあいいや。でね、だけど兄貴の部屋のコンセントはでっかいコンポの後ろで、何か仕掛けようと思うとかなり大変なのね。でもコンポを動かした跡はなかったから、まあ盗聴とか盗撮とかも大丈夫だろうってことになって。朝から不動産屋まで話をしに行ったら、前の日まで旅行に行ってて詳しい話はぜんぜん知らないっていうから、とりあえずガラス代の話だけして昼過ぎに戻ってきたらね……。誰が待ってたと思う?」

さて、今度は即答とはいかないみたいだ。

わざわざ訊くからには、不動産屋から戻ったお兄さんを待っていたのは意外な人物でなければばならない。いまの仲丸さんの話に、登場人物は多くはない。お兄さん自身。サークルの仲間。警察。不動産屋さん。あるいは、仲丸さん自身も。

しかし、本当に意外で、しかも話のオチに繋がる人物といえば。……これはもう、一人しかいないだろう。

「もしかして、だけど」

「うん」

「は……」

犯人かな。

と言いかけて、危ういところで言葉を呑んだ。

仲丸さんは不審を抱いている。そして、質問に適切に答えるぼくを、決して愉快には思っていない。それは顔を見ればわかるし、経験に照らせばさらに明白なことだ。重々思い知ったはずのことを、まだ心底からはわかっていない。まったく、仲丸さんの言う通りだ。ぼくはどこか鈍いのかもしれない。

ここで「正解」を述べるのは間違った行為だ。高校に入ってから丸二年、小市民としての生活で学んだことがある。小市民は会話において、「適切」な相槌を打ったりしない。誰も教えてくれなかったけれど、相手の話の先を読むことは、禁忌だ。

だからぼくは、また嘘をつかなければならない。つまり、

「うーん、やっぱりわかんないな」

と言わなければならないのだ。

すると会話の相手は、ほら、こんなにうきうきと明るい表情になる。

「わかんないでしょ！　あのね、なんと……。犯人がいたんだって！」

「うわあ。それは怖いね」

「でしょ、でしょ！」

心なしか足取りも弾んで、仲丸さんは続ける。

「部屋のドアの前に立ってじーっとしてるから、何か配達の人かなって思ったんだって。でもちょっと違うみたいだし、『なんか用ですか』とかなんとか言ったんじゃないかな。そしたら、『この部屋に住んでる人ですか。すみません、部屋に入ったのは僕です』って。兄貴もびっくりしちゃってさ、言うことは偉そうだけど、兄貴って別に強いわけじゃないし。かなりびびったと思うよ」

その恐怖はわかるなあ。厄介事は望まなくても向こうからやってきて、平穏をかき乱すだけかき乱してどこかに行ってしまう。理不尽な言いがかり、無理な要求……。だからこそ、古人の言にいわく、君子ならびに小市民危うきに近寄らず、と。

道は遊歩道を抜けて、ビルの谷間の広場に通じている。アクアパークだなんて洒落た名前がついているけど、その正体はただの市民広場だ。ただ、ここにも遊歩道と同じくお金がかかっていて、広場には煉瓦《れんが》が敷かれ、真ん中には噴水がしつらえられている。噴水の真ん中では、白い天使が三体、トランペットを高々と掲げている。

「暗い感じの人だったらしいよ。明るい人なら最初からそんなことしないか。だよね。でも暗いだけじゃなくて、なんか神経質そうな感じだったって。神経質そうな顔ってどんなふうなのかな。小鳩ちゃんは違うよね。それっぽいやつ、クラスにいたっけ?」

「……いたかなあ」

いたとしても名前を憶えていないので、どうしようもない。それにしても上機嫌で喋るなあ。

「土井とかそういう感じじゃない?」

「土井くんか、ああ、なるほどね、そうかもしれない」

言いながら、土井というのはもしかして女子だったかもしれないと思い当たる。まあ、仲丸さんが気にしていないようなので、大丈夫だろう。

「それでさ、そいつがぼそぼそ喋るから兄貴もちょっといらいらしたんだけどさ。なんか強く言ったら包丁でも出してきそうで、こっちも慎重になったっていうのね。で、泥棒っていうか、泥棒のやりかけみたいなそいつに向かって訊いたんだって。どうしてそんなことしたのかって。考えてみれば間抜けな話なんだけど、その泥棒ったら兄貴をじっと見てさ、それがなんか恨めしそうだったって言うの。それで、なんでガラス割って部屋に入ったのか説明してきたんだけど……。これがさ、ヘンな話でさ。どういうことか小鳩ちゃん、想像つかないでしょ」

そうだね、五里霧中とはこのことで、皆目一切さっぱりと、見当さえもつかないよ！

ぼくはもちろん、そう答えようとした。たぶん、そうしようとしたはずなのだ。

ところがそのとき、全くの不運がぼくを襲った。

アクアパークの噴水、その中央に据えられた三体の天使像。そのトランペットから水柱が噴き上げ、七色の光が水底で輝き、微《かす》かに音楽さえ流れだしたのだ。

ぼくはこう思った。……小じゃれた演出のつもりかもしれないけど、天使がトランペットを吹くと、どうも黙示録の世界が始まるような気がするね。

それでつい、気が逸れてしまった。小市民的な節度が、音のないトランペットのせいで吹き飛ばされてしまったのだ。ぼくは呟いた。

「それはきっと」

情報の取捨選択は、もうすっかりできていた。


仲丸さんのお兄さんは、一人暮らしのアパートに住んでいる。

お兄さんの部屋は汚く、狭い。

お兄さんの部屋はおそらく一階で、ユニットバスである。

お兄さんはサークルに入っていて、ある日、深夜に出発して新潟に向かった。

三日後に帰宅すると、部屋の窓が割れていた。

部屋中に本やＣＤが散らばっていた。その中には、ある程度貴重なＣＤもあった。

お兄さんはメタルミュージックの信奉者だった。

お兄さんの部屋には大きなコンポがある。

部屋に盗聴器の類は仕掛けられていないと推定された。

割れたガラスの代金はアパートの保険から支払われた。

犯人は自ら名乗り出た。

さらに……。

お兄さんは妹からはっきりと、間抜けでルーズだと言われている。

お兄さんは夜、ファミリーレストランでアルバイトをしている。

お兄さんは朝、新聞配達のアルバイトをしている。

不動産屋はしばらく旅行に行っていた。

そしてなによりも暗示的なことがある。それらを考え合わせれば、答えはあまりにも自明。

まったく、取り組み甲斐がないほどに。

「それはきっと、コンポを止めるためだったんじゃないかな」

犯人は、物を盗みたかったわけではない。

しかし、どうしても部屋に入らなければならなかった。お兄さんの帰宅を待つことはできず、しかもかなりの非常事態だった。

真っ先に考えたのは、失火だった。お兄さんが留守の間、たとえばヤカンを火にかけていたというようなことがあったとすれば、それは緊急非常事態だ。窓ガラスぐらい割って入るだろう。しかしカーテンが閉まっていた部屋の中で火が使われているなんてわかりようもないし、それになにより、もしそうだったらこの話は「変わった泥棒に入られた話」ではなく「危ないところで火事をまぬがれた話」として語られただろう。

失火ではない。しかしそれに類するような、部屋に入らなければならない事情があったことは疑いない。

犯人が胸を張って恩を着せに現れたのではない様子は、話の端々から窺えた。ということはたとえば、ガス漏れ警報機が鳴っていて非常事態だと思ったから、というのでもないだろう。もしそうなら、犯人氏は恩人だ。これも「変わった泥棒」の話にならない。

水はどうかとも、思った。風呂の水を出しっぱなしで新潟に出かけた。しかしお兄さんの部屋はおそらく一階だ。階下に水が漏れるというようなことも、ない。

そうして考えていくと一番怪しいのは、音だった。大音響が鳴り響き、深夜になっても途切れない。一日経ってもまだうるさい。ドアを叩いても誰も出ない。留守らしい。これは、ぼくだったら耐えられない。

……お兄さんのアパートは、狭く汚いという。壁が厚いとは思えない。

さらに、お兄さんは夜も朝もアルバイトをしている。朝、間違いなく起きるために、なにかしらのモーニングコールをセットするのは自然なことだ。目覚まし時計？　携帯電話のアラーム？　それらでもいい。

しかし、コンポのオンタイマー機能でも、いい。

「目覚まし時計」と「コンポのオンタイマー」の決定的な違いは、まずは音楽を選べる幅が違うということ。……そして、放っておいて止まるかどうか、ということがある。目覚まし時計はたいてい、そのうち止まる。しかしコンポは、設定次第では、止めなければ止まらない。

深夜に出発したお兄さん。そのとき毎日の目覚ましであるコンポを、メタルミュージックを停止させていかなかったら、三日にわたってどんちゃかどんちゃか鳴り続けることになる。だいたいメタルは、囁きのような小さな音で聴くものではない。ボリュームも大きかったのではないか。

その「神経質そうな男」は、耐えたのかもしれない。あるいは、抗議のためと平和裏に部屋に入るため、不動産屋を訪れることもしたかもしれない。しかし忍耐は三日間は続かず、不動産屋は留守だった……。そしてガラスは割られたんじゃないか。犯人はおそらく同じアパートの住人。強硬手段に訴えた裏側には、窓を割ってもガラス代の大部分は保険から出るだろうという予想があったのではないか。

推理を肯定する暗示があった。実は、ぼくはそこから出発した。

仲丸さんはこの話を、「そういえば」といって始めた、あのときあの場所にあったのは、版画展のポスター。それは、ジグソーパズルを嗜《たしな》むお兄さんのことを思い出させたかもしれない。しかしそれ以上に印象的なことが、あの場所では起きていた。

オルゴールの時報がうるさかったのだ。

ぼくが漏らした呟きは小さなものだったけれど、噴水の音に掻き消されてしまうほどには小さくなかった。

仲丸さんは足を止め、ぼくを見る。その表情にいまや、疑いの色は隠しようもない。

記憶が蘇り、ぼくをぞっとさせる。多くの人に多くのことを言った中学時代。誰もがぼくのことを認めるだろうと思っていた。しかしそうではなかった。多くのことを言えば言うほど、ぼくは自分の足場を崩していた。

誰もいなくなるその前に、小市民になろうと決めたのに。

それなのにやっぱり、大きな自負がぼくを高揚させていることも、確かなのだ。かつてのぼくであれば言葉にしただろうことを、いまのぼくは心の中で思うだけ。しかし、思うという事実は、やはり変わっていない。ぼくはこう思っている。——どうだ。その程度でぼくに謎をかけようなんて、おかしくって話にもならない。もうちょっと手の込んだやつで、出直してきてくれないかな。

言えないのだ。そんなことは、もう。

仲丸さんの前で、ぼくは次に何を言うべきかわからないでいる。嫌悪されるに違いないとぼくは確信し、さらには、もしそうなったとしても仕方のないことだと、開き直ってさえいる。

しかし仲丸さんは、しげしげとぼくの顔を見続けたあげくに、ぽつりと言った。

「やっぱりこの話、したよね。そんな気がしてたんだ」

「……あ、うん」

この日一番のぼくの機転は、泥棒の話のオチを読みきったことではない。次の一言こそが、我ながら絶妙だった。救いの糸にしがみつくように、ぼくは精一杯の微笑みを作ってこう言ったのだ。

「そうだね。ずいぶん前に聞いたから、ぼくも忘れかけてたよ！」

割れた窓を開けて、お兄さんは一晩過ごしたという。ということは、この話はおそらく昨年の夏のこと。遅くても、秋口までのことだったに違いない。

事件発生からそれだけ経っていたことが、ぼくの失言をぎりぎりで救った。そしてぼくは、誤魔化しそのものを口にする。

「ねえ、次はどこに行くんだったっけ？」

天使のトランペットから、最後の水柱が昇って落ちた。

3

新聞部の編集会議は、その月の第一週に行われるのが通例だった。

春休みは四月に食い込んでいるし、入学進級直後の慌ただしさもある。だからいろいろなことが、通例通りにいかないのは仕方がない。しかし、今年度最初の編集会議が緊急招集の形で開かれたのには、別の理由があった。おれはその理由を、誰よりもはっきりと認識していた。

始業式の日に配られた『月報船戸』に、連続不審火の「タネ明かし」は載らなかった。ぎりぎりのところで、おれが記事を差し替えた。

（四月七日　月報船戸　八面コラム）

新入生諸君、入学おめでとう。船戸高校は諸君を心から歓迎する。

さて、新聞部は昨年秋から、ある事件を継続的に追っている。新入生諸君にこれまでの経緯を説明する意味を込めて、今回は事件を総括したい。

十月十三日、葉前の空き地で放火があった。火がつけられたのは、刈られた草の山。幸いまだ水気が多かったためか、火は大きくはならなかった。消防は出動していない。

十一月十日、西森の児童公園で放火があった。ごみ箱をひとつ焼き、土に若干の煤を残しはしたが、火は広がらなかった。この件から、一般の新聞にも記事が載るようになった。

十二月八日、小指の資材置き場で放火があった。廃材一本を焼き、住民と消防によって鎮火された。

一月十二日、茜辺の路上で放火があった。放置自転車のサドルが焼かれた。

二月九日、津野の河川敷で放火があった。消防が出たが、自動車一台を全焼した。この自動車はしばらく前から河川敷に放置されていたものだった。

三月十五日、日の出町のバス停近くで放火があった。ベンチの下に捨てられていた雑誌に火がつけられて、ベンチがひとつ駄目になった。

小欄はこれらの事件に注視し、火の用心を呼びかけてきた。それと同時に、これまでの経緯を綿密に分析し、この一連の（「一連」だということは明白である！）事件の法則性を読み取ろうとしてきた。

それは、ある程度までは成功している。小欄は、二月は津野近辺、三月は日の出町近辺で火がつけられるであろうことを、予測したのだ。これは新聞部のたゆまぬ取材の成果であって、純粋な洞察から得られた推理に他ならない。

小欄は、過去の成功におごることなく、今回も慎重な検討を加えた。その結果として、卑劣な放火犯は上ノ町三丁目、あるいは華山を、次の標的に定めるのではないかと推測する。

　今年度も小欄はこの事件を細心の注意をもって見守っていく。ひとつには、この憎むべき犯罪を許さないために。ひとつには、船戸高校新聞部の力量を示すために。

　志のある新入生は、新聞部を訪れてほしい。印刷準備室にて、我々は新入部員を待っている。（瓜野高彦）

　配布は、新聞部員が自らの手で行う。五日市や堂島部長はともかく、門地はどんな気分でそれを配ったのかと思うと、申し訳ないと同時に、一面、確かに痛快でもあった。

　二年に進級して、おれは里村とは別のクラスになっていた。だからこの記事を見た里村が取り巻きを盛り上げたかどうかは、わからない。ただ、まだお互い手探り状態の新しいクラスで、『月報船戸』を読んでいるやつは五人も見かけた。

　その後始末は、必ずあるに違いないと予想していた。

　緊急招集と聞いて、おれはすぐに、そう来るだろうなと思ったのだ。


　ほとんど予想通りに進んだ物事の中で、唯一意外だったのは岸がいなかったことだ。岸はどうやら、新年度が始まった途端さっさと新聞部をやめてしまったらしい。そういうことをする生徒のことは、聞いたことがある。部活に所属しても一年以内にやめると、進学時の調査書で不利になるというのだ……。

　中学のときは、内申書についてだったが、この伝説は広く信じられていた。高校ではあまり聞かなかったが、岸がそれを真に受けて年度が替わるまで退部を我慢していたとすれば、実にあいつらしい軽薄さだ。

　会議の幕開けさえも、予想通りのものだった。三年生になった門地が、まずおれを罵《ののし》った。

「瓜野。お前、調子に乗りすぎだ。三月の編集会議で何が決まったか、憶えててやったんだろ。決めたことも守れないなら、やめろ。迷惑なんだよ」

　三月の会議では、おれに四分の一ページを与えることが決められた。それは堂島部長の提案だ。目的は、連続不審火の次の標的を当てることができた「タネ明かし」をして、それでこの記事を終わりにするため。確かにその意味では、おれは決定に背いた。

　しかし、おれはもちろん、言い分を用意してこの場に臨んでいる。

「四月号で終わりにするってのは、生徒指導部の新田に言われて決まったことです。でも新田は、転勤していってもういない。続けたって、文句は出ないはずです」

「新田なんかどうでもいい。編集会議の決定に逆らったことを言ってるんだ。はっきり決めたぞ。お前だって『はい』と言ったんだからな」

「そんなこと知りませんよ。会議では、おれに四分の一ページくれるってことが決まっただけです」

眉を吊り上げ、門地が睨みつけてくる。

「ふざけてんのか」

先月の生徒指導室では、新田の偏執的な迫力に押され何も言えなかった。堂島部長に弁護してもらうだけだった。あの悔しさは忘れない。いまさら、門地ごときに怯むものか。真正面から受け止める。

「ふざけてません。おれは二種類の記事を用意しました。ひとつは、新田に言われた通り、連続記事を終わらせるためのもの。そしてもうひとつは、ぎりぎりで状況がひっくり返ったときに、差し替えるための、予備の記事です。そして状況はひっくり返ったんだ」

あのときのことを思い出す。小佐内と一緒に映画を見た日。小佐内はおれに、教職員の異動記事を見せた。

なぜ小佐内があれを持っていたのか、考えたこともあった。おれの活動を邪魔したのが新田だとわかっていなければ、あんなものをおれに見せたわけがない。小佐内は知っていた。だとすれば、情報源は堂島部長以外にはあり得ない。

部長はいつものように腕組みして、広い肩幅を誇示するように反り返っている。最初に小佐内を見たとき、堂島部長に耳打ちしていた姿がふと頭をよぎる。……この二人には、思ったよりも深い繋がりがあるのだ。

いや、いまはとにかく、門地を論破しなくては。

「やめろやめろと簡単に言いますがね、先輩、おれがどれほどこの記事に必死になったか、一度でも考えたことがありますか？　クソ寒い冬に自転車漕いで、放火があったと聞けば町境まで行ったんですよ。先輩みたいに、『校長先生お願いします』だけで書いたわけじゃないんだ、おれは！」

「瓜野、てめえ！」

痛いところを衝いた確信があった。

門地はそうなのだ。堂島部長は、それなりに役割を果たしている。それは認めざるを得ない。しかし門地は、ろくな活動をしていない。建設的な提案をしたところを見たことがない。その上、堂島部長のイエスマンですらない。たいした気力もなく漫然と言われるまま文字数を埋めていたということに関しては、岸も門地も似たようなもの。それなのに、いかにも新聞部の秩序を守るような顔をしておれの邪魔をする。「やりたくない」という意思をはっきり示していただけ、岸の方がマシだった。

顔を赤くする門地。おれも引き下がる気はない。五日市だけが、おどおどと視線をさまよわせている。

「何様だ、お前。偉そうに。町境だってどこだって、お前が好きで勝手に行っただけだろうが。誰が頼んだ？　お前の自慢の記事だって、所詮は地域面の書き写しだろうが。その程度で、何を威張ってるんだ」

「書き写しで次の現場が予想できれば、そうかもしれませんけどね。わかってないのか？　おれなんだよ、この連続放火の法則を見つけたのは。おれだけが書けたんだ。新聞にだって無理だ。先輩、あんたには絶対に、書けなかった！」

言葉が止められない。雰囲気がどんどん凶悪なものに変わっていく。机の下で、握りこぶしを固める。

もうぎりぎりだというタイミングで、堂島部長が腕を解いた。

「落ち着け、門地。……瓜野の言うことはわかる」

「堂島」

「お前の記事がバカにされる理由はない。だが、瓜野が頑張ったのも確かだ。よく調べたし、よく考えた。俺が思っているのとはぜんぜん違う方向だったが、よくやったよ。それをいきなりやめろと言われて、それは確かに納得いかんだろう。新田の異動を見て、舞い上がって記事を差し替えたというなら、気持ちはわかる」

門地は、くしゃっと顔を歪めた。部長は自分の後ろ楯になってくれると信じていたのだろう。一方おれも、もしかして堂島部長ならわかってくれるんじゃないかと、淡い期待をしていた。

しかし部長は、そこまで甘くもなかった。

「……だから門地。俺に話をさせてくれ」

机に手を置いて、ぎろりとおれを睨む。門地と違って険悪な顔をしているわけではないが、おれはぎくりとして、姿勢を正さずにはいられない。

「瓜野。いくつか訊くぞ」

「はい」

前座は終わった。緊急会議はここからが、本番だ。

「お前を呼び出し、連続不審火のことは書くなと言ったのは、確かに新田だった。……だが、あの指導が生徒指導部全体の総意かもしれないということを考えたか？」

「え」

「新田は転勤した。だが生徒指導部がなくなったわけじゃない。いまにでも呼び出しがあって、新田先生に指導してもらったはずだがどういうことか、と訊かれるかもしれない。

お前が『タネ明かし』の記事を載せるなら、言い訳は考えてあった。だがお前はそうはしなかった。こうなるともう何も言えん。何か処分があっても受け入れるしかない。お前はそのあたりのことを考えたのかと、訊いているんだ」

言われてみれば……。

部長はこう言っている。新田がいなくなっても、生徒指導部がなくなったわけではない、と。

その通りだ。

「……いいえ」

思い込んだ理由も、あると言えばある。

「あ、あのとき、生徒指導室には新田しかいなかったし。それに、あんまり無茶苦茶な言いがかりだったから、新田が一人で言ってることだと思ったんで」

「思ったというだけなら、俺もそう思った。だが確認したわけじゃない」

「それは」

いきなり、言い返せない。新田の言うことは理不尽だった。しかし新田ではなく、生徒指導部の決定そのものが理不尽だったのかもしれない……。

「まあ、これは向こうの出方待ちだ。何もないってことも、充分あり得る。まだわからん。……次だが」

堂島部長は机の上の、『月報船戸』に手を置いた。

「この記事の最後で、新入部員の募集をしてるな」

「四月号なんで、当たり前かと」

「普通にやればな」

部長の目が、ざっと記事の上を走る。

「だがこれは普通じゃない。連続不審火の件は今後も継続的にやっていくから、この件に興味があれば新聞部に来い、と書いてある。なあ、編集会議では、お前にページを割り振った。だがな、今年度の活動方針まで任せた覚えはないぞ。何様だ、とまでは言わん。だがこれはやりすぎだ」

確かに、そこはちょっと、自分でも書きすぎたかなと思ってはいた。筆が滑ったとでも言うのだろうか。しかしこれについては、言い分があった。

「そこは、あくまでコラムとしての募集です。新聞部としての募集も、ちゃんと一面に出てるでしょう。だから、構わないかと思いました」

「理屈がおかしいな」

一蹴された。

「確かに一面には新入部員募集の記事が載ってる。だがだからといって、コラムでどう書いてもいいってことにはならん。むしろ逆だ。一面できちんと募集をかけてるから、他の欄で募集するときも整合性がとれるようにするのがスジだ。お前の部下を募集してるんじゃない、新聞部の部員を募集しているんだからな。今年度も新聞部としてこの件を追うとは、決まってないはずだ」

門地が得意げに、

「お前の先走りだよ。勝手なこと書きやがって」

と言葉を挟んでくる。堂島部長はちらりと門地を見やっただけ。おれも、もう門地など相手にしていない。

部長は小さく鼻を鳴らした。

「とはいえ、な。現状四人の小さな部だ。意思統一がどうのと細かいことを言っても、むなしいだけだがな。これについては、本当に部員が来てから考えても遅くない。ただ、お前が書いたことの意味を自覚してくれれば、いまはそれでいい」

いまのは、自嘲《じちょう》だったのだろうか。しかつめらしい顔つきは小揺るぎもしないので、そうとは思えなかったけれど。

「三つ目だ」

気のせいか、部長の眼光が鋭さを増したような。いや、確かに堂島部長は、この「三つ目」を重要視している。そのことをおれが理解するのに充分なだけの間を置いて、部長は言った。

「お前が、お前の記事を大事に思うあまりに暴走したというなら、気持ちはわかると言ってやれる。だが瓜野、すまんが俺は、そこまでお前を信じられん」

わずかな沈黙と、張り詰めていく緊張。

「俺はお前に、『タネ明かし』の記事を書けと言った。お前は、書いたが新田の異動で喜んで、予備の記事を載せたと言った。そこでだ。ひとつ見せてほしいものがある。……『タネ明かし』の記事が実在するなら、見せてくれ」

危うく、唸り声を上げるところだった。

それが存在しなければ、確かに、おれは最初から編集会議の結果を裏切るつもりだったということになる。存在していれば、おれの言葉の裏書きになる。

部長が問題にしているのは、おれの行動の是非ではなく、それが許せるものだったか許せないものだったかということ。そしてその要点は、記事の有無に収斂《しゅうれん》される。そこに目をつけてきたとは。

大雑把な守旧派だという堂島部長の印象は、どんどん修正を迫られる。三月、生徒指導室の外で味わった相反する思いが、また込み上げる。……感嘆と悔しさ。おれの沈黙はそのためだったのだが、何を勘違いしたのか、門地が勝ち誇った声を上げる。

「あるわけがない、こいつは自分勝手にやりたかっただけだ」

さらに、

「なんとか言ってみろ！」

と。

何も言うつもりはなかった。また、その必要もなかった。おれは鞄から黒いファイルを取り出す。連続放火についておれが調べたことは、すべてそこに挟み込まれている。ぺらぺらだったファイルは、いまやずっしりと胴ぶくれしている。そこから取り出す、一枚のコピー。実際には使わなかったので字数を調整しておらず、少し長い。

差し出そうとして、おれは一瞬の躊躇を覚える。それは、おれだけのものであった「タネ」、連続放火の法則を、他人に見せることへのためらいだった。

部長は、そんなおれの思いをも見抜いてしまった。

「『月報船戸』は、お前だけのものじゃない」

そうだ。小うるさい争いさえなければ、この情報はとっくに、新聞部員の皆で共有されていて当然だったんだ。いま見せることは、遅すぎたぐらいかもしれないのだ。

そうはわかっていても、やはり、独占が崩れることは嫌だ……。切り札を見せる義理までは、ないはずだ。

自分の顔が歪んでいることを自覚しながら、おれはそのコピーを、机に載せた。

(四月七日　月報船戸　八面コラム　原稿A案)

新入生諸君、入学おめでとう。船戸高校は諸君を心から歓迎する。

『月報船戸』では、主として学内の出来事を紹介している。しかし、その他の記事を載せることもある。たとえば今年の二月からは、木良市全域で頻発している連続放火について、ある種の見解を載せてきた。新聞部の昨年度の活動として、その見解を紹介する。

十月十三日、葉前の空き地で放火があった。十一月十日、西森の児童公園で放火があった。十二月八日、小指の資材置き場。一月十二日、茜辺の路上。二月九日、津野の河川敷。そして三月十五日、日の出町のバス停で放火があった。

小欄はこれらの事件に、関連性があることを確信していた。なぜならそれらはすべて、月の第二金曜日深夜から土曜日の未明にかけて発生していたから。また、放火の対象が徐々にエスカレートしていたから。この二つの事実は、すべての不審火が同一犯の手になるものであることを強く示唆していた。

そして綿密な調査の結果、その「関連性」を突き止めるに至った。その成果でもって、放火犯が次にどこを狙うのか、正確な予知さえも行ってきた。それらはすべて的中した。

その「関連性」を理解していただくためには、木良市の全域地図があると役に立つ。以下はできれば、木良市の全体図を想像しながら読み進めていただきたい。

六件の放火現場は、それぞれある程度離れていることがわかる。放火犯は、これまでに火をつけた現場から離れた場所を選んでいる。しかしこれだけでは、標的は「先の件とは違うどこか」ということがわかるだけである。

現場が離れているとは、どういうことか。警戒地域を一ヶ所に絞らせない効果がある。ある地域に限定して放火を行えば、住民による防災パトロールも行われるだろう。それを防ぐことができる。では、他には？

小欄が注目したのは、火が出れば何が起こるかということだ。出火すれば、それが住民のバケツやホースで収まりがつく程度のものでも、たいていは消防に連絡が行く。実際、この連続放火でも、十月の葉前と三月の日の出町を除いて消防の出動が確認されている。

消防。出動。消防車。小欄は調べた。

その結果、これらの放火事件ではすべて異なる分署から消防が出動していることがわかった。西森分署・小指分署・茜辺分署という順序。ここに注目し、小欄は地道な調査を続けた。電話帳を、郵便番号帳を、木良市ハザードマップを調べた。

そしてとうとう、この順番に符合するリストを、小欄は発見した。それは、驚くことなかれ、木良市の『防災計画』に記載された分署リストの、逆順であったのだ!

これは偶然だろうか。いや、暗示であると小欄は確信した。それに基づき、今年二月、次の放火現場は津野か木挽ではないかと指摘した。分署リスト中、茜辺分署の前に来ているのは津野分署であったからだ。果たして、それは当たった。津野分署の前は当真分署だった。当真分署の管轄は、当真町と鍛冶屋町、日の出町だ。そこで三月はそう書いた。火の手が上がったのは日の出町だった。

小欄の調査の正確性は帰納的に証明された(帰納法について、新入生諸君は中学校で勉強してきたことと思う!)。ここからは推測になる。放火犯はおそらく、消防関係者か、あるいは市役所の職員であろう。そうした、防災に関係の深い人物でなければ、『防災計画』など、存在にすら気づかないだろうから。

以上の紹介をもって、小欄は連続放火に対する調査をすべて終了する。新入生諸君には、きっと理解していただけたことと思う。我々新聞部の活動は、粘り強く、やりがいのあるものだ。この活動に賛成し、自らもそれに加わりたいと願う諸君には、新聞部部室(印刷準備室)を訪れていただきたい。新聞部は、新入部員を募集している。(瓜野高彦)

堂島部長の最初の感想は、

「どっちにしても煽動っぽいな」

だった。少しだけ口許が緩んでいたので、たぶん苦笑しながら言ったのだと思う。

続けて、

「この『分署リスト』、いま持っているのか」

と訊かれた。もちろん、それもファイルに挟み込んでいた。


（木良市防災計画　十一ページ）

木良市消防署一覧

木良消防署
木良南消防署
木良西消防署

木良市消防分署一覧　おおまかな管轄区域

加納分署　加納町・安積町・三宮寺町

檜町分署	檜町・南檜町
針見分署	針見町
北浦分署	北浦町
上ノ町分署	上ノ町一丁目、二丁目
華山分署	上ノ町三丁目・華山
当真分署	当真町・鍛冶屋町・日の出町
津野分署	津野町・木挽町
茜辺分署	茜辺町・茜辺東新町
小指分署	小指町
西森分署	西森町・旧洞ガ里
葉前分署	葉前町（山林区域含む）

「確かに、符合するな」

当然だ。

しかし門地は一見するや、叫び声を上げた。

「偶然だ、こんなもの……。『防災計画』だと！」

腰を浮かさんばかりに身を乗り出して、唾を飛ばす。

「こじつけだ。でなきゃ、こんなもの出てくるはずがない。こんなものの順番通りに火をつけて、どうなるっていうんだ。誰も知らない、こんなリストで!」

「そうも言えんだろうよ」

と、堂島部長はいつもの落ち着きを失わない。リストをじっと見ながら、

「誰も知らんわけじゃない。これを作った人がいるし、その人の部下や上司もいる。これを配られた機関もあるだろう。瓜野が記事の中で、犯人は消防関係者か市役所職員だと書いたのは、無理がないな」

おれは頷いた。

「被害地域は市内に広く散らばっています。それは、消防署が市内全域をカバーするよう、一定間隔で分署を置いているから、と考えられます。それに、犯人は大人だと思うんです。犯人の家がどこかはわかりませんが、西は西森から南は茜辺まで、車がないとかなりつらいです」

しかしこれには、部長は首をかしげた。

「そうかな? 自転車で充分だろう。大人の方がこのリストに触れる機会が多いというんだったら、わかるが」

確かに、おれも現地取材は自転車で行った。だけど正直に言って、かなりキツかった。昼間に取材したおれでこうなのだから、深夜に行動する犯人は、やはり車を使っていると考えるのが自然だと思った。

堂島部長なら、夜でも平気だろう。いかにも無限の体力がありそうだ。しかしおれはそうではないし、犯人についても、特別頑健だと考える理由はない。反論はできたが、いまは黙る。

「わからんのは、門地も言ったが、その順番で放火するメリットが犯人にあるのかってことだが……。どこの消防が出てくるか気をつけながら放火するなんて、何かの挑戦か、試験としか思えんな。しかしまあ、動機をお前に訊いても仕方がない。お前に訊きたいのは」

リストを机に置いて、

「お前はどうして、これに気づいた？」

消防の管轄が関係あるかもしれないと思ったのは、氷谷と取材に出かけた日、駅前で消防車を見たときだった。赤い車体に、「上ノ町2」と白くペイントされていた。あれはなんだろうと思い、どこの分署の消防車かわかるようになっているのだと気づいた。そしてその日、小指の放火現場を見に行ったとき、分署がすぐ近くにあったことを思い出した。

思いついてすぐ、おれはまさかと笑い飛ばした。しかし、その思いつきはなかなか頭を去らない。家に帰って、調べたのだ。

とはいえ、こういう経緯をいちいち話す必要はない。要するに、一言で言って、ここがポイントだった。

「兄貴が消防士なんで、そういう資料は家にあったんです」

部長はゆっくりと、腕を組んだ。

「……なるほどな」

あまりに単純な理由で、それ以上何も言う気がしなくなったのかもしれない。

そのまま部長は、目を閉じてしまった。部室は奇妙な沈黙に包まれる。歯噛みするようでいながら、もう口を挟むこともできない門地。嵐をやり過ごすように、ひたすら頭をひっこめて黙っている五日市。「タネ明かし」の記事は実在すると証明し、あとは部長の判断を待つだけのおれ。

数分。もしかしたら一分に満たなかったかもしれないが、とにかく長い時間だった。部長は目を開け、呟いた。

「これは俺のミスだ」

「え」

腕組みのまま、部長の言葉はこれまでにも増して重々しい。

「俺の考えが浅かった。結果論だが、瓜野の記事が載ってよかった。危ないところだった」

おれよりも先に、門地が食ってかかった。

「どういうことだ。瓜野の勝手にさせておいてよかった、ってのか?」

「……まあ、そういうことだ」

「馬鹿な、編集会議は」

「その結果が大間違いだった」

目で、部長は机の上のコピーを指した。載らなかった「タネ明かし」の記事を。

「その記事は、おおむね俺が指示した通りに書かれている。編集会議でも、そういうふうに書くように決めた。だが門地、もしその記事が載っていたらどうなった？」

「どうって」

考えを問われて、門地はてきめんにうろたえる。

「どうって、生徒指導部への義理は果たせるし、わけのわからん連載も終わりになるし、いいことばかりじゃないか」

「だが」

部長が言葉を遮った。

「それで連続不審火がなくなるわけじゃない。むしろ、今後もし不審火があったら、新聞部は極端にまずい立場に立たされた。危ないところだったんだよ」

門地はまだ気づかない。

「どうして、そんな」

「わからないか？」

部長は、ゆっくりと言った。

「不審火があった曜日や、内容のエスカレート。『防災計画』。瓜野、お前が気づいた共通点は、これで全部か」

「は、はい」

少し口ごもってしまう。その隙を、部長は見逃さなかった。

「他にあるなら、そう言え。この期《ご》に及んでまだお前が隠している切り札を、聞こうとは言わん。あるならあると、それだけ言え」

部長は何も知ってはいない。それなのに、切り札があることを、態度だけで見破られてしまった。具体的に言わなくてもいいならと、おれは不承不承、頷いた。

「……実は、あります。おれしか知らない共通点が」

「そうか。あるんだな」

と、部長は深い溜め息をついた。

「その用心深さが、俺にはなかった。……門地。仮に、全部明らかにした記事を載せてしまえば、その法則をすっかりコピーした模倣犯が出てきても見分けようがない。『月報船戸』が模倣犯を生んだと言われても抵抗できんぞ。そんなことになったら致命傷だ。廃部で済んだかどうか」

門地は言葉を詰まらせる。

「だが書かなければ、手の打ちようはある。そっくり同じ模倣はできないからな。新聞部は真犯人と模倣犯を区別できる、馬鹿な真似をすればすぐにわかるとアピールして、それで馬鹿が出るのを防ぐ。罪を真犯人になすりつけることはできないと明らかにした上で、それでも模倣するやつが出たら、それはただの一人の放火犯だ。関係は否定できる。なにしろ放火を報じること自体は、普通の新聞もやってることだからな」

部長の言葉は、独白のようだった。

「瓜野の独断専行のおかげで助かった。やっぱり、俺はこういう話には向いていなかったな。相談しておくべきだった」

奇妙な独り言だった。部長は確かに、相談しておくべきだった、と言った。誰に。「こういう話」に向いている、誰に相談しておくべきだったと、部長は呟いたのか？

おれの脳裏に、なぜか一人のイメージが浮かんでくる。椅子に座った堂島部長に、そっと耳打ちする女子。どうしてここで、小佐内の顔を思い出すのか。自分自身にうろたえる。

そんなおれに構わず、部長は一段、声を大きくした。

「瓜野」

「はい！」

「俺も三年生だ。受験がある」

おれは黙って、聞いている。

「本来なら、五月までは三年がひっぱるのが慣例だ。だが、ちょうどいい機会だ。俺は部長を引退する」

「えっ」

声を上げたのは、おれではない。門地と、そしてこれまで一言も発しなかった、五日市だった。堂島部長は続けて宣言した。

「部からも、引退する。お前と五日市、どちらかを部長にして、しっかりやっていけ」

もうすぐ来ると思っていた。ただおれも、それは五月に入ってからだと思っていた。

三年生引退。部長選び。

来るべきものが、まさか今日来るとは。

おれは思わず、五日市を見た。五日市も、おれの方を見ていた。……しかし目が合った瞬間、五日市はそそくさと視線を逸らしてしまう。

それで、当然のなりゆきをおれは確信する。船戸高校新聞部部長は、今日この日から、この瓜野高彦だ。

今日からおれが、『月報船戸』を導く。

喜びよりも自負よりも、おれはなぜか真っ先に、腕組みしたままの先輩に頭を下げていた。

「お疲れさまでした」

堂島先輩は、無駄なことは言わなかった。ただいつものように重々しく、頷いた。

堂島先輩は、悪い部長だったとは思わない。いろいろといいところもあった。トラブルへの対処能力は確かに認めざるを得ないし、なによりリーダーシップがあった。

しかし最善だったかといえば、そうではない。堂島先輩は結局『月報船戸』を変えることはできなかった。学校からの予算を得て、船戸高校の全校生徒に配布できる『月報船戸』。もっと魅力的なものであって、いいはずだ。

おれは、連続放火事件にかかりきりになる。別のことは始められない。門地は引退するとも続けるとも言ってなかったが、何の戦力にもならない。というか、おれが何もさせない。五日市も頼りないが、こちらは従来型の記事を適当に任せれば、紙面を埋める役には立つだろう。あとは、新入部員に期待だ。もし使えそうなやつが入ってきたら、何か目玉になるようなネタを探させる。連続放火の賞味期限が切れたころ、次の目玉に取り掛かれれば最高だ。

おれもこれまで以上に実績を上げなければならない。連続放火の続報は、八面のコラムなんて小さなところではなく、やはり一面に持ってきたい。さすがにトップを飾るわけにはいかないが、市内の様子を伝えるコーナーとかなんとか銘打って、一面の一部を占めるぐらいのことはできるだろう。となれば内容も強化しなくてはならない。実はおれ自身、次の被害予想地を当てるというだけでは、物足りなくなっている。読者の興味を繋ぐためには、次の展開が必要だと思っていた。

学内での評判も、少しずつ高まっていくだろう。期待させ、それに応え、『月報船戸』の価値を高めていく。おれにはそれができる。

放火犯の行動パターンは既に読めている。となれば、おれが書くべき記事、やるべき取材とは……。

忙しくなってきた。面白くなってきた。

ふと気づくと、日が暮れかけていた。

部室に一人残ってやるべきことを整理していたら、どうも熱中しすぎたようだ。とにかくまずは、新入部員の募集をしないと。五日市にも何かアイディアを出させると決めて、印刷準備室を後にする。

廊下に出ると、窓から西日が射していた。やけに夕焼けの赤い放課後だった。

下校時刻にはまだ間があるのに、廊下に人の姿はほとんどなかった。最初は、誰もいないかと思った。しかしそれは見間違い。赤い光にまぎれて、人影が壁にもたれかかっていた。手には文庫本。新入生かと思ったけれど、そうではなかった。小さいけれどあれは三年生。小佐内ゆき。

「やっと出てきたね。何のおこもりかと思っちゃった」

「待っててくれたのか？」

そんなことはこれまで一度もなかった。おれは驚くというよりも、怪しいとさえ思った。が、小佐内は何の含みもないような微笑みで、

「うん」

と頷いた。

「そうか。帰るところだったんだ。一緒に帰ろう」

「あ、うん。それでもいいけど、その前に」

小佐内は壁から一歩、離れ出る。

「部長さんになったのね。おめでとう」

「あ、ああ」

どうして知っているんだろう。

「ありがとう」

言いながらも、考える。どうして知っているんだろう。答えはひとつ。堂島先輩が教えたからだ。

堂島先輩は、なぜ教えたんだろう。そんな、新聞部の内部にしか関係ないようなことを。

脳裏に浮かぶのは、堂島先輩に耳打ちする小佐内。しなやかに体をかがめて、コケティッシュな横顔の。

小佐内は、もう一歩おれに近づいてくる。

「待っていたのはね、心配だったからなの」

「何が」

「あのね。瓜野くんが部長さんになったらね、ひょっとしてあの事件のこと、もっと追っかけちゃうんじゃないかって。……それが心配だったの」

そのつもりだ。おれはあの事件を、もっと追う。

それだけじゃない。

「事件だけじゃない。おれは、犯人も追うつもりでいる」

「え……」

「放火犯の行動パターンは摑んでるんだ。犯行現場を撮って、警察に渡して、逮捕させる。どうしてこれまでやろうとしなかったのか不思議なぐらいだ。もしできるなら、この手で捕まえてもいい」

船戸高校新聞部部長、連続放火犯を捕らえる。

それはなんと魅惑的なアイディアだろう。新聞部の名声は一気に跳ね上がり、おれは新聞部どころか、船戸高校の歴史にすら名を刻むことになる。これこそ、おれが望んでいたことだ。

直接捕らえるのは、簡単ではないだろう。放火犯の体格はわからないが、体術を身につけていないおれが人一人そうそう取り押さえられるかどうか、怪しいものだ。

しかし、犯行の瞬間を、撮影することができれば。

「『月報船戸』は、がらりと変わるぞ」

小佐内はわずかに、表情を曇らせた。

「堂島くんがいても、できなかったことなのに？」

その一言で、むくりと黒い感情が湧き上がってくる。

やっぱりだ。小佐内と堂島先輩は、いまも何か繋がりがある。

どんな？　そして小佐内は、堂島先輩をどこまで当てにしているのか？

「あいつは何もしなかったよ。いてもいなくても同じだ」

少なくとも連続放火を調べるとき、堂島先輩が手伝ってくれたことはない。

そうだ。思い出した。いつだったか、恋愛映画を見るつもりでサスペンス映画を見てしまった日。アイスクリームの旨い店に案内してくれた小佐内は、おれに向かって言ったのだ。――

「おいたは、もうだめ。何もしないのが、一番いいと思うの」

「おれが、あの事件を調べることに反対なんだな」

「……瓜野くん、顔が怖い」

「どうしてだ？　おれが当てにならないか？　堂島の方が、頼りになるのか？　切り札を持っているのはおれだ。おれはまだまだ知ってることがあるんだ。堂島なんか、何も知らない」

小佐内は、手にしていた文庫本を、胸に抱くようにした。その小さな本で自分の身を守ろうとするように。

「堂島くんは、そう、頼りになる。便利なの。だけどわたしが言ってるのはそういうことじゃない」

「じゃあ」

「あのね」

と、小佐内は目を伏せて言った。

「あのね。怒らないで聞いてね。……わたし、頑張り屋さんは嫌いじゃない。でもね」

声が小さくなっていく。

「好きなのは、何もしない人なの」

「何もしない……？」

「そう。わたしは小市民。そしてね、小市民が、好きなのよ」

かすれて、ほとんど聞き取れないような声だった。放課後の廊下がこれほど静かでなければ、掻き消されてしまっただろう。

ああ、小佐内。

……なんて、なんて嘘が下手なんだ！　おれを止めるために、そんな取って付けたようなことを言って、それで言いくるめられると思っているのか？

「おれは違うよ」

はっきりと言いきる。小佐内は、はっと顔を上げる。

「おれは違う。何もしない小市民なんかじゃない。任せてくれ、大丈夫だ。待ってろ、三ヶ月もすれば、最高にいいところを見せてやる」

堂島先輩はもう新聞部にはいない。おれがやるんだ。

小佐内がなんと言おうと、やめるつもりはない。小佐内がおれの力を危ぶんでいるなら、証明してみせるまでだ。

「聞いて、瓜野くん」

「聞かない」

おれは両腕を伸ばし、小佐内の肩を摑む。小さく細く、握りしめたら砕けてしまいそうな肩。そのまま引き寄せる。膝をかがめる。

そしておれは、これまでしたいと思ってもできずにいたことを、した。

小佐内にキスをしたのだ。


ところが。

小佐内のくちびるの感触は、しなかった。やわらかさとあたたかさを期待したのに、砂を嚙むような味気なさだけがあった。

目を閉じたつもりはなかったのに、つむってしまっていたようだ。違和感に、ゆっくりと目を開ける。

紙一重。

小佐内はぺらぺらの小さな紙切れで、おれを防いでいた。紙を自分のくちびるに押し当てて。

それはレシートだった。小佐内の左手には文庫本、右手にレシート。沸騰したような頭の片隅で、ああ、レシートをしおり代わりに挟んでいたのかと、そんなことを考えていた。

ほんの十センチの距離で、小佐内はすっと、目を細める。

「だめじゃない」

どこか楽しげに。レシートはまだ、くちびるの前。

「聞いてって言ったら、聞くものよ」

身を離していく。肩を摑んでいたはずのおれの手は、いつの間にか外れている。

ととっ、と、小佐内は跳ねるように後ろに下がる。両手を後ろにまわして、上目遣いになる。

「だけど瓜野くん、任せてって言ったわね。いいところを見せてくれるのよね」

おれは、こくりと頷く。

小佐内は笑った。あれほど笑わせようとしたのに、微笑みしか浮かべなかった小佐内が。

ほとんど晴れやかと言ってもいいほどに、笑っていた。

「……いいわ。楽しみにしてる」

そう言うと、小佐内はスカートを翻し背を向ける。

その肩越しに、何かひらひらと、白いものが落ちてくる。レシートだ。小佐内の薄い楯。

「あげるわ。思い出にね」

しゃがんで拾い上げ、顔を上げると。

小佐内はもうどこにもおらず、赤い夕暮れも薄暗い夕闇に変わっていた。

4

ポケットの中で、携帯電話がぶるぶると震えだす。セットしたアラームが作動した。ぼくはシャープペンを机に置いて天を仰ぎ、大きな溜め息を天井にぶつけた。

日曜日の図書館。閲覧するでもないくせに図書館で受験勉強というのは、たぶんあまり、褒められたことではない。ただ、木良市立図書館には「学習室」というスペースがある。「学生の皆さんはこちらをお使いください」と貼り紙があるので、では遠慮なくと乗り込んできた。許可されればどこへでも大手を振って。これも、小市民的態度のひとつといえる。

そしてそういう生徒は、そんなに少なくはなかった。学習室の机は半分ぐらい埋まっている。まだ四月なのに。

四月から受験勉強とは、我ながら殊勝なことだ。でもたぶんそんなに長持ちしない。来月あたりにはだれてきて、次に拍車がかかるのは夏休みだろう。そのころには、この学習室も芋を洗うようになるに違いない。

今日は、適当な大学の入試問題集を用意して、試しに解いてみた。正確に時間を計って、本番さながらに。

いくつか解きようのない問題もあった。たとえば確率の一部は、まだこれから習うところ。というか、高校の三年間で準備すべき入試問題に三年生になりたてのぼくが挑んで、そこその勝負になってしまうのはなんだかおかしい。原理的には、三分の一は未習のはずなのに。

三十分ほどかけて自己採点。ルーズリーフの答案用紙を前に、ぼくは首をひねる。ちょっと化学が弱いけど、そんなに不安というほどのものじゃない。ただどうも、現代文の点数に波がある。満点を取れることも多いけど、六割程度になってしまうこともある。

原因はたぶん、性格的なものだ。たとえば、「Aによって、Bは大切なものを失った。Aに再会したときのBの心情はどのようなものか」というような問題があったとする。解答は選択式なので、悔しいとかやるせないとか、そういうニュアンスの選択肢を探せばいい。それはわかっているんだけど、ぼくはたまに、「いや、この流れなら、Bの心にあるのは喜びに違いない」という感じに思考が流れてしまう。真実をより深く知るための証人に会えたんだから、嬉しくないはずがない。ところが適切な選択肢がない。で、迷ったあげくに間違うことがある。現代文の、特に文章読解は一問あたりの配点が大きい。この手のミスは許されないのだ。

この悪癖は、受験までに解決できるだろうか。

……難しいだろうなあ。ほとんど生来のものだし。あと九ヶ月。無限かと思うほど長い時間だけど、いずれ過ぎてしまうんだろう。悠久のようだった小学校六年間は終わったし、永劫より長いと思った中学校三年間も終わった。高校の三年だけ、終わらないという道理はない。わかっている。わかっているけど、なんというか、いきなり時間がループしたりしないものだろうか。

するかもしれないので、勉強の続きはそのときにしよう。荷物をまとめて早々に撤退。いやあ、疲れた疲れた。

帰る前に、通路に置かれた自販機でコーヒーを買うことにした。ホットにしようかアイスにしようか迷う時期だ。もう寒くはないけど、アイスコーヒーが欲しくなるほどでもない。結局ホットを買って、自販機の隣に置かれたベンチに座る。

一口飲んで、ほうっと息を吐く。

鞄からルーズリーフを取り出した。さっき解いた試験問題の解答が見える。といっても選択式なので、問1＝2とか問3＝4とか、ひたすら数字が並んでいるだけ。これだけの数字を並べるのに何時間かかったかなあと浮世の虚しさを覚え、見ていてもつまらないのでページをめくる。

問題を解く間に、ときどきいたずら書きをした。このいたずら書きがどうもひっかかって、集中力が高まりきらなかったような気がする。いわばこれは、皮膚に埋まったトゲのようなもの。……去年からときどき思い出しては、ちくちくと気になっている。

いたずら書きには、固有名詞が並んでいる。

堂島健吾。

小佐内ゆき。

瓜野高彦。

五日市。

北条《ほうじょう》。

刺さったトゲの名前は、「船戸高校新聞部主導権争い事件」。

あるいは、「木良市連続放火事件」でも、あるかもしれない。

このトゲを抜こうかどうしようか、もうずいぶん長く考えている。

基本的には、放っておきたいと思っている。ぼくはもう小佐内さんとは離れているので、いまさら彼女が何をしようと気にしないのが正しい。しかしもしかしたら、百にひとつぐらいは、のっぴきならない事態になっているのかもしれないと考えている。ぼくの危惧が当たっていたら……。そのときは、ぼくにもやることが増えるだろう。

コーヒーを飲み干して、ルーズリーフは鞄へ。

図書館を出て、駐輪場の自転車を取ってくる。

門を出るところで、右に行こうか左に行こうか考える。右に行けば家路になる。まだ午後もそんなに遅くないので、充分日が高いうちに帰れるだろう。左に行くと、堂島健吾の家がある。歩いてもほんの数分、自転車なら目と鼻の先だ。

自転車に跨って、ぼくは呟く。

「健吾か……。どうしようかなあ」

案ずるより産むが易しとか、まず行動せよとかいうのは、小市民的な徳目ではない。それはどちらかといえば英雄的な資質だ。健吾に話を聞けば、それだけでぼくのトゲは解消されてしまうかもしれない。それなのにどうしてもためらいが残るのは、ぼくと健吾はやっぱり、それほど気が合いはしないからなのだ。

頰をかく。

だけど、まあ、いつまでも引っ張るのも確かに気分が悪い。試験勉強中にもふと気になってしまうようでは、受験生として問題だ。

とりあえず、電話だけしてみよう。もしご在宅だったら、出かけていって話を聞こう。外出中だったら、それはそれで仕方ない。ようやくのことでそう決心して、ポケットから携帯電話を取り出した。

この携帯電話は、去年買い替えた。前のケータイはいい加減に古かったから……。「健吾携帯電話」に発信。自転車を降りて、待つ。

五コール。

十コール。

「……出ないなあ」

留守かな。寝てるのかな。ホールドを押して、電話を切る。ほっとしたような、残念だったような。

　と、すぐ後ろで声がした。

「あ、切りやがった」

　聞き覚えのある声だ。

　振り返ると、堂島健吾が図書館の玄関に立っていた。ケータイを手に持っている。つまり、図書館にいるときに電話がかかってきたから、慌てて外に飛び出したものらしい。

　律儀だ。

　目の前で、健吾がケータイを操作する。ぼくの手の中でケータイがふるえだす。「着信　健吾　携帯電話」。とりあえず、電話に出てみる。

「やあ」

『何か用か』

「そうだね、とりあえずは、顔を上げてほしいかな」

　健吾が言う通りにしてくれたので、にらめっこになった。

「健吾、図書館使うんだ」

「近いからな」

　言われてみればごもっとも。

ご自宅にお邪魔しなくてよくなって、ちょっと気が軽くなった。とりあえず図書館の中に入って、自販機の隣のベンチに並んで座る。健吾はホットコーヒーを買ったけれど、ぼくはつい三分ほど前に飲んだばかりなので、やめておく。

最初の一口、口をつけるや否や、健吾が訊いてきた。

「それで、何か用か」

「うん、まあね」

ただ、心の準備もしていないうちにいきなり健吾が現われたので、話をどう切り出そうか決めていない。とりあえず、

「さっきは悪かったね。ここにいると知ってたら、メールにしたんだけど」

「焦ったぞ。電源を切ってなかった俺も悪いが」

「そんな、急がなくてもよかったのに」

健吾はちらりと、ぼくを見た。

「焦らんわけには、いかんだろう。お前から電話があると、たいていろくなことじゃない。急ぎの用かもしれんからな」

その点については申し訳なく思う。いつもお手数かけます。そして、「ろくなことじゃないかもしれないから早く電話に出ようと焦った」健吾には、いつかきっちり借りを返さなくてはならないだろう。

「この間の電話も妙だったな。結局あれはなんだったんだ」

「この間?」

健吾はむっとしたように、

「車の写真を送れと言ってきただろう。お前のことだから、事情の説明は後まわしにするだろうとは思ってたが……。忘れてたのか?」

そういえばそんなこともあったなあ。意図があって説明しなかったわけじゃないけど、その後いろいろ考えることがあって、うっかり忘れてしまっていた。

「ごめん。忘れてた。いま話すよ」

「俺に訊きたいことがあったんじゃないのか」

「それとも関係するんだ」

ちょっと考えをまとめる。

やっぱり、発端はここだろう。

「去年の、十一月の終わりごろに、健吾が電話をくれたんだけど憶えてるかな。もしかしたら十二月に入ってたかもしれないけど」

「ああ。写真を送れと言ってきた日も、そんなことを言っていたな」

「そうだった」

憶えてないけど。

事実関係はルーズリーフにいたずら書きして、まとめてある。けれど、わざわざそれを出すまでもない。おおよそのことは頭に入っている。

「発端は九月だった。新聞部で、瓜野高彦くんが学外のことを書きたいって言い出したそうだね。健吾はそれを却下した」

健吾は訝るように、

「それが、何の関係があるんだ。俺が聞きたいのは、あの写真の話だ」

「だから関係するんだってば」

もしかして健吾はかなり事情を把握しているんじゃないかと思っていたけど、そうでもないらしい。まあ、何も知らないってこともないだろう。

「健吾が反対したのは、もしその議案が通ったら、瓜野くんがあの誘拐事件のことを書きそうだったから。そうだよね」

「それも理由のひとつだった」

「で、その後、小佐内さんが健吾に接触してきた。『夏休みのことを書かれては困るけど、それ以外だったら、学外のことを書くのもいいと思う』っていう意味のことを言ってきたんだったね。健吾はそれを不審に思って、ぼくに電話してきた」

「そうだ」

「どう思った？」

「そうだなあ」

缶コーヒーを持ったまま、健吾は腕組みする。健吾はよく腕を組むけど、手に何か持っていても、意地でも組んでしまうらしい。もしかしたらヨガのポーズか何かなんだろうか。

「どうして新聞部の事情を知ってるのか、怪しいと思ったな。それに、そんなことを言われて俺の考えが変わるわけもないのに、とも思った」

「さあ、そこだ。最初の疑問の答えは簡単。新聞部内に、誰か小佐内さんの知り合いがいるからだ」

「いるな。門地という男が、たしか小佐内とクラスが一緒だ」

あれ？

「そうなの？」

「そうだ。そうか、門地から聞いたと考えれば、話はわかるな」

確かにそう考えれば自然だけど、その後の事実との整合性がとれなくなってくる。それとも、ぼくの考えが間違っていたのかな。いや、でも、

「その門地くんは、学外の記事を書くことに賛成だったのかな」

「いや。反対していた。瓜野を嫌っているようだったな」

なるほど。それなら、やっぱり思った通りだ。

「まあ、それはともかく。健吾は、小佐内さんの言葉では意見が変わらない、と言ったね。だ

けどぼくは、そうは思わない」

「どういうことだ?」

自分のことに疑問を呈されて、さすがに健吾は怪訝そうだ。言葉のニュアンスを、少しやわらげた方がいいかもしれない。

「健吾が瓜野くんの提案に反対したのには、小佐内さんを守る意味があった。その後、瓜野くんが何度提案しても、やっぱり健吾は反対しただろう。でも、小佐内さんの一言で、反対意見に固執する必要はなくなった。健吾としては賛成しやすくなった。……少なくとも小佐内さんは、そう考えたと思う。小佐内さんが健吾に言ったのは、どう考えたって、『瓜野くんに賛成してあげてね』って意味だからね」

健吾は、むう、と唸った。

「……言われてみれば、とは思うな。遊ばれたってことか?」

「説得されたってことだよ。そうしなきゃいけなかったんだろう」

「ということは、小佐内は瓜野と繋がってるのか」

「たぶんね。門地くんとも接点があることを聞いたときにはイレギュラー要素が出てきたかと思ったけど、門地くんは瓜野議案に反対だった。小佐内さんはやっぱり、瓜野くんを応援したんだ」

腕を解いて、健吾はコーヒーをぐびぐびと飲む。そして、何か思いついたようにその手を止めた。

「待て、それはおかしいぞ。結果的にコラムは瓜野が独占することになったが、もともとそれを書きたいと言ったのは五日市だ」

「じゃあ、五日市くんが議案を出すよう働きかけたのも、小佐内さんだろうね」

まあ、そのぐらいは驚くに値しない。

それなのにたっぷり驚いている健吾をよそに、ぼくは続けて言う。

「二つ考え方があるんだ。ひとつは、小佐内さんは五日市くんにたった一度のコラムを書かせるために暗躍した、という考え。もうひとつは、小佐内さんは最終的に瓜野くんにコラムを独占させるために暗躍した、という考え。

前者だったら、健吾に働きかける意味は薄い。五日市くんのコラムも読んだけど、彼はおそらくあの誘拐事件を書く危険はなかったろうから。後者だったからこそ、健吾に働きかける意味があった。遊ばれたっていうか、踊らされた子がいたとしたら、それは五日市くんだね。

そして瓜野くんは、この町で起きている連続放火を追い始める」

「何のためだ?」

と、健吾は声を大きくした。

「小佐内が新聞部に口を挟んでいた? 何のために」

対照的に、ぼくの声は小さくなる。

「さあ……。そこがひっかかるんだよ。遊びでやってるとは思えないしね。健吾、ここで、送ってもらった写真が繋がってくるんだ」

あのクリーム色のライトバン。ぼくが見たときは、黒こげだった。

「健吾。二月に、津野の河川敷で自動車が燃えたのを知ってるだろう。そしてそれは、送ってもらった写真の車だったんだよ」

健吾の表情に緊張が走る。

「写真の車って、あれはお前」

「そうだね。あれは、小佐内さんを拉致するために使われた車だ。あれは河川敷で焼かれた。『月報船戸』で、予言された通りに」

「常悟朗。まさかお前は……。いや、違うな。どうなってるんだ？」

そう呟くと健吾は最後の一滴まで缶コーヒーを飲み干し、空き缶を床に置いた。そして、これでやっと満足に組めるとばかり、がっちりと腕を組む。

どうなってるんだ、とは面白い。ぼくの違和感、ちくちくとしたトゲも、まさにそれだ。

「小佐内さんは、あの車が燃えたことを報じさせたくて瓜野を支援した、と仮定する。ところが早速、障壁にぶつかる。コラムが始まったのは一月。ということは、たぶんそのページ配分が決まったのは十二月だろう」

「そうだ」

「ということは、小佐内さんは去年の十二月以前に、二月にあの車が燃えることを知っていたことになる。で、二月の件は一連の連続放火に完全に組み込まれている。……あとはまあ、もう言わなくてもわかるよね」

だけど、結論を呑み込む前に、考えなければならない。仮定は正しいのか？

「でも、津野で放置自動車が燃えたこと自体は、普通の新聞にも載った。『次回予告』を別にすれば、『月報船戸』だけに見られた情報はなかった。ということは、何も策略を用いなくても報道はされたんだから、仮定がおかしい。小佐内さんが瓜野くんを応援してコラムを書かせたことと、誘拐犯のライトバンが燃えたことの間には、直接の関係は見出せない」

「なら、ただの偶然か？」

いつの間にかぼくは、ベンチから大きく足を投げ出している。

「可能性は高い。ぼくは十中八九、そうだと思ってる。だけど……。健吾、小佐内さんは、自動車に放火するような人かな？」

健吾は、言葉に詰まった。ぐっと口許を引き締めている。この剛毅な男が言うに言えないでいるというその事実が、なにより雄弁だ。

小佐内さんなら、わからない。

健吾がそう思うのも無理はない。あの小さい姿の周囲には、ちょっと影が濃い。

ぼくはもう少し積極的に考える。小佐内さんは、それが必要なら、やるだろう。一昨年の詐欺事件のときのように。去年の誘拐事件のときのように。その前のように。どうしてもそれが必要なら、なんでもやるだろう。

小佐内さんは「小市民」を名乗っている。ぼくと同じで。そしてぼくと同じように、それは嘘だ。ぼくたちが互恵関係を解消してから半年以上。その間に小佐内さんが自分の『狼』を飼い慣らしきっていなければ、彼女は、やる。

しかし。

「やり口が露骨だ。小佐内さんのやり方じゃない」

一瞬、ぼくは健吾のことを忘れ、そう呟いた。

小佐内さんは、甘いものと復讐を愛している。小佐内さんに手を出せば、必ず噛みつかれる。なぜなら小佐内さんは噛みつくことが好きだから。

だけどその復讐は、セーラー服に機関銃を持って敵を皆殺しにする形では行われない。彼女は罠を張り、敵を落とし穴に誘って、落ちたその上から鉄の蓋をして復讐する。

それは、ぼくがのっぴきならない悪事を見出したとしても、虎徹を腰に悪即斬《ざん》と暴れまわったりはしないのと同じこと。「火」は、ぼくのやり方ではない。同時に、小佐内さんのやり方でもないはずだ。

まして、それが広く知れ渡るように手を打つなんて、絶対におかしい。ぼくたちは自分のことを知っている。ぼくは小佐内さんのことを知っている。ぼくたちは自意識過剰。いつも誰かが自分を見ているような気がして身を慎む。そしてそれゆえにこそ、自己顕示欲旺盛ではない！

「そこで、健吾に訊きたいことなんだけど」

「あ、ああ」

話が進んで、どことなくほっとしたような健吾。

「小佐内さんと瓜野高彦くんの間にどんな関係があるのか、新聞部元部長の健吾は、何か知らないかな」

もっとも、ぼくはその答えを知っていた。これまでの会話での健吾の反応を見ていれば、あまりに明らかだ。

健吾はかぶりを振った。

「いや、知らん。悪いが、そんなことは思いもしなかった」

そうだろうね。

まあ、ぜんぜん新情報がなかったわけでもないし、休日の昼下がりの談話としてはそこそこ楽しかったんじゃないかな。そう見切りをつけようとしたけれど、そこはさすがに堂島健吾。知らんの一言で良しとはしなかった。

「だが、その手の話なら、吉口《よしぐち》に訊けば知ってるかもしれんぞ」

「吉口？　誰だっけ」

「俺のクラスの女子だよ。とにかく、誰と誰がくっついたか見張ることだけを生きがいにしてるようなやつでな。お前と小佐内が離れたことも、俺は吉口から聞いて知ったぐらいだ」

そんな、情報屋みたいな生徒がいたのか……？

まあ、この世にはいろんなひとがいる。剛毅な新聞部部長や、甘いもの好きな自称小市民がいる。連続放火事件に興味津々な下級生もいる。同い年でドラッグに手を出したり空き巣に入ったりした子も、何人か名前を知っている。他人のレンアイ話に絶大な興味を持ち続ける女子ぐらい、むしろ普通なのかもしれない。

「月曜日にでも、紹介してくれるかな」

「ああ、いいぞ」

じゃあ話の続きは月曜日とばかり、ぼくはベンチから立とうとする。しかし、呟くような健吾の問いに引き止められた。

「常悟朗……。俺からもひとつ、訊いていいか」

「なんなりと」

そう答えはするものの、ぼくはちょっと嫌だなと思っている。事務的な情報交換以上の会話をすると、健吾とぼくのウマの合わなさは、必ずあらわになるから。

ところが健吾の質問は、ぼくの意表を衝くものだった。

「それで、お前はどうしてこの件に嚙んでいるんだ」

「どうして、って」

「新聞部の問題にも、連続放火の問題にも、お前がかかわる理由は何もないんじゃないか？」

いや、まあ、そうなんだけど。

そうなんだけど、健吾がそれに気づくとは思わなかった。

というか「この件はぼくには関係ない」と謝絶するのは小市民的態度の基礎基本。健吾がその点を指摘してくるのが意外だった。健吾はいつも、小市民的であろうとするぼくを、卑屈だと批難しつづけていたのに。

これはたぶん、試されているのかな。健吾のくせに、まわりくどいことを。それにむっとしたので、ぼくは短い言葉で答えた。

「小佐内さんが火をつけてまわってる可能性があるのに、じっとはしてられない」

「別れたのに、か？」

「そうだよ。なにせ」

足元の鞄を叩く。

「今年は受験なんだ。気が散るのは迷惑だよ。さっさと片づけて、勉強に集中したくってね」

健吾はほんのわずか笑みを作ると、ひらひらと手を振った。もう行ってしまえ、ということらしい。遠慮なく、行ってしまうことにした。

◇

翌、月曜日。

健吾のクラス、三年E組にお邪魔した。放課後にわざわざ時間を取ってもらうほどの話でもないので、休み時間にちょっと、E組教室前の廊下で話を聞かせてもらった。

人間関係を網羅した情報屋という健吾の情報から、ぼくは吉口さんを、スーパーマーケットのビニール袋を提げてご近所一党と井戸端会議に余念のない女性ではないかと想像していた。まったく違った。髪は綺麗だけどそれ以外に目立つところのない、おとなしそうな女子だった。吉口という名前には、覚えがなかった。顔を合わせても、初対面としか思わなかった。ところが吉口さんは、ぼくを見るとすぐに、

「こうやって話すの、久しぶりね」

と言った。吉口さんを教室から連れ出してきてくれた健吾も、

「ああそうか。知り合いだったな」

などと頷いている。

健吾と女子生徒と、ぼく？　そんなのどこで関係してきたかな。少なくとも健吾と同じクラスになったことはないから、三人がクラスメートということはない。何か頭でも使ったかな。

記憶を辿って辿って、不意にはっと思い出す。

吉口さん、ぼくのことなんてよく憶えていたなあ。たぶん、あれだ。船高入学直後、バッグを盗まれた女子。健吾に頼まれてぼくが見つけた。

懐かしいぐらいだ。二年前にちょっとご縁があっただけで、人の顔と名前なんて憶えられるものなんだろうか。とにかくぼくたちは知り合いと認められているらしいので、知り合いらしく振る舞うことにする。にっこり笑って、

「そうだね。久しぶりだ。ところで実は、訊きたいことがあるんだけど」

「わたしに？」

不思議そうに首をかしげて、それから健吾の方を見ている。その視線で、だいたいのことがわかった気がした。健吾は吉口さんを噂好きの情報通だと見ているけれど、吉口さん自身にはその自覚がないらしい。この関係性は面白いけど、観察している暇はない。休み時間は十分間なので。

「小佐内さんって、知ってる？　小佐内ゆき」

「え、うん。知ってる。元の彼女でしょ」

本当に知ってるなあ……。

彼女ではなく、ただの互恵関係のパートナーだったんだけど。まあその辺のことはもう、どうでもいいことだ。

「その小佐内さんのことで、何か知ってることがあったら教えてほしいと思って。特に、そう、二年生の瓜野くんと」

吉口さんはぼくの言葉を遮った。

「あ、うん、つきあってるよ。その二人」

あっさりと言う。

「ときどき一緒に下校してるし、デートもしてたりするみたい」

どうして知ってるの、と訊きたくなる。ぼくはいろいろ怖い思いをしてきたけど、これも怖い。それとも吉口さんがたまたま知っていることをよく話すというだけで、実は結構誰も彼もが、他人同士の繋がりを観察していたりするんだろうか。ぼくは考えることは好きだけど、人のことはあまり気にならない。それで見逃している真理もずいぶんあるんだろうなと、そんなことまで考えてしまった。

ぼくの顔色を窺って、吉口さんは意味深に笑った。

「なに？　元彼女のことが気になるなんて、案外みっともないのね」

もしかして、「小鳩が小佐内のことを訊きに来た」という事実も、新しい情報として流布《るふ》されてしまったりするんだろうか。しかも「未練たらたらでみっともない」という附帯情報もついて。

それは嫌だな。そう思っていたら、健吾が助けてくれた。

「いや、俺が頼んだ。瓜野ってのは新聞部員でな、常悟朗が小佐内のことを知りたいんじゃなく、俺が瓜野のことを知りたいんだと思ってくれ」

嘘、とも言いきれない。真実を含んでいる。まっすぐなだけかと思っていたら、健吾もなかなか話術を使うようになっている。まあ、ぼくが三年生になったように、健吾も高校三年生だ。成長だってするか。

だけど、

「ふうん……」

吉口さんはまるで信じていないらしい。まあ、別にいいか。

これで用は済んだ。吉口さんの情報はぼくの推理を裏書きした。小佐内さんと瓜野の交際が本当に恋愛に基づくものなのか、それとも何か別の隠された取引に基づくものなのかは、わからないけれど。

「ありがとう。ごめんね、休み時間に」

そう礼を言って、踵を返そうとする。ところが、吉口さんは怪訝そうな顔をした。

「え、それだけ？」

「それだけって、そうだけど」

「十希子のこと、訊きに来たんじゃないの？」

誰だっけ、十希子って。どこかで聞いた名前だけど。

……あ、仲丸さんだ。

一瞬、まったくわからなかった。名前で呼んだりしないからなあ。でも、どうしてここで仲丸さんの名前が。……まさか。

「まさか」

つい、呟いてしまった。

小佐内さん、瓜野くん。新聞部の主導権争い、連続放火事件。このラインのどこかに、まさか、仲丸さんまで絡んでくるのか？

吉口さんは頷いた。

「うん。そのまさか、当たってる」

「そうなのか。ぜんぜん気づかなかった」

どこだろう。

河川敷で焼けた車は、北条さんのもので間違いない。仲丸さんが絡んでくるとすれば、被害者の関係？　それとも仲丸さん、なんにも知らないような顔をして、新聞部と繋がりがあるんだろうか。気をつけて観察していたわけじゃないけど、まさかここで彼女の名前が出てくるなんて完全に予想外だ。

息を詰めて吉口さんの言葉を待つ。

吉口さんはくちびるに指を当てた。その口許は笑っているわけでもないのに、なぜかひどく楽しげに見えた。

そのくせ声だけは、芝居がかっているほどに、憐れみに満ちている。彼女は言った。

「そう。二股かけてるよ」

「……え?」

「十希子って、いっつも恋人乗り換えてるから。あの子がフラずにキープするのは珍しいけど、二股相手はもう二人目だよ。それに、あの子って本命いるし。大学生の。あ、そう考えると二股じゃないのか。三股」

何を言ったらいいのか、見当もつかなかった。

まったく的外れで、一切必要のない情報。……だけど吉口さんがあまりに得意そうに教えてくれたので、何かショックを受けないと悪いような気がして、でも何も言えない。

まあ、それはそれで、ショックを受けているように見えたかもしれない。吉口さんは満足そうだから、たぶんこれで良かったんだと思う。


休み時間がもう終わる。

吉口さんは教室に戻る。健吾が口早に、

「何かわかったか」

と訊いてくる。ぼくは、小さく頷いた。

「うん。……ぼくが思うに、これは情報操作で片がつく」

（下巻に続く）

検印
廃止

著者紹介　1978年岐阜県生まれ。2001年、『氷菓』で第5回角川学園小説大賞奨励賞（ヤングミステリー＆ホラー部門）を受賞しデビュー。2011年、『折れた竜骨』で第64回日本推理作家協会賞、14年『満願』で第27回山本周五郎賞、21年『黒牢城』で第12回山田風太郎賞、翌年には同作品で第166回直木賞を受賞。

秋期限定栗きんとん事件 上

2009年2月27日　初版
2024年6月28日　23版

著者　米《よね》澤《ざわ》穂《ほ》信《のぶ》

発行所　（株）東京創元社
代表者　渋谷健太郎

162-0814/東京都新宿区新小川町1-5
電話　03·3268·8231-営業部
　　　03·3268·8204-編集部
URL　http://www.tsogen.co.jp
暁印刷・本間製本

ISBN978-4-488-45105-9　C0193